A VOZ DO POVO E A VOZ DE DEUS

A VOZ DO POVO E A VOZ DE DEUS

Como Jesus contradiz ou confirma a sabedoria popular

—

ÁGATHA CRISTIAN HEAP

Os textos bíblicos foram extraídos da *Nova Versão Transformadora* (NVT), da Editora Mundo Cristão, sob permissão da Tyndale House Publishers.

CIP-Brasil. Catalogação na publicação
Sindicato Nacional dos Editores de Livros, RJ

H346v

Heap, Ágatha Cristian
A voz do povo e a voz de Deus : como Jesus contradiz ou confirma a sabedoria popular / Ágatha Cristian Heap. - 1. ed. - São Paulo : Mundo Cristão, 2021.
112 p.

ISBN 978-65-86027-82-2

1. Vida espiritual. 2. Bíblia - Inspiração. 3. Jesus Cristo - Ensinamentos. 4. Provérbios. I. Título.

21-68793 CDD: 232.954
CDU: 27-31-475:398.9

Categoria: Inspiração
1ª edição: maio de 2021

Edição
Daniel Faria
Preparação
Paula Mazzini
Revisão
Natália Custódio
Produção e diagramação
Felipe Marques
Colaboração
Ana Luiza Ferreira
Capa
Douglas Lucas

Publicado no Brasil com todos os direitos reservados por:

Editora Mundo Cristão
Rua Antônio Carlos Tacconi, 69
São Paulo, SP, Brasil
CEP 04810-020
Telefone: (11) 2127-4147
www.mundocristao.com.br

Ao meu marido Brian,
que me mostra dia a dia
que é possível ser como Cristo.

Sumário

Agradecimentos

Agradeço a Deus por nunca ter desistido de mim. Pela salvação em Jesus e por ele nos capacitar a viver à semelhança dele.

Agradeço pela família. Um avô que viveu como Jesus. Uma mãe que me mostrou o caminho. Um marido que caminha comigo na direção do Mestre. Filhos que me moldam e me estimulam a buscar cada vez mais a santidade.

Agradeço pela Igreja. Especialmente a Igreja do Nazareno Central de Atibaia, onde sou pastora, mas também sou Corpo e Família. Quantos me inspiram e me mostram que é possível ser como Cristo! Amo *ser* Igreja!

Agradeço pela equipe da Mundo Cristão, que valorizou esta obra e acreditou que ela poderia ser canal de bênção e inspiração para muitas vidas. Que assim seja!

Soli Deo Gloria

Apresentação

A humanidade lida com uma busca espiritual. Em Eclesiastes 3.11, aprendemos que Deus colocou um "senso de eternidade" no coração humano. Assim, há um anseio universal pela religação com o Eterno.

O que, no entanto, alguém quer dizer quando declara que acredita em Deus? Que Deus é esse? Um criador distante? Uma força ou energia sobrenatural? Um poder castigador? Um juiz severo? Uma fonte de amor sem limites? Uma divindade entre muitas? As respostas podem ser variadas e até contraditórias. Por isso, Jesus é essencial para a compreensão do verdadeiro Deus.

O apóstolo Paulo nos ensina que Jesus, o Filho, "é a imagem do Deus invisível e é supremo sobre toda a criação" (Cl 1.15). Somos seres finitos e extremamente limitados. Como compreender o Deus criador dos céus e da terra? Ele tomou a iniciativa ao vir até nós e se fazer homem para que pudéssemos vê-lo e entendê-lo e, assim, ter com ele um relacionamento transformador.

O ser humano começa seu aprendizado de vida por imitação e vai se moldando de acordo com os que o cercam. A cultura à nossa volta procura nos moldar, mas a sabedoria popular, ainda que tenha seu valor, não é a instrutora mais adequada para a nossa vida. Carecemos de modelos sólidos, eternos, e Jesus é o melhor padrão de como devemos viver. Ele é "o caminho, a verdade e a vida" (Jo 14.6).

Não nascemos com todas as respostas. Talvez seja até mais verdadeiro dizer que nascemos sem conhecer nada e, a partir daí, surgem muitas perguntas. Por isso, olhar para Jesus é essencial se queremos alcançar uma vida plena e abundante. Ele precisa ser nossa inspiração, nosso exemplo, nossa maior paixão e a pedra fundamental de nossa formação.

O objetivo deste livro é confrontar a sabedoria que vem de Jesus com a sabedoria que vem da cultura, por meio de seus ditados e provérbios. Por vezes haverá concordância entre a sabedoria de Jesus e a sabedoria popular; por vezes, haverá necessidade de ressalvas; por vezes, o contraponto será total. Mas trata-se, a meu ver, de uma rica possibilidade didática de buscar o propósito maior de nossa vida, que é alcançar a semelhança com Cristo.

O melhor elogio que alguém pode receber é ser comparado com Jesus. Não há nada melhor do que ouvir: "Você se parece com Cristo" ou "Eu vejo Jesus em você". Esse tem sido o desejo mais profundo do meu coração. Que seja também o seu desejo, e que esta leitura inspire você a buscar e a desenvolver as características de Jesus em sua vida. Como meros seres humanos, não podemos fazer isso sozinhos, pela nossa própria força. Mas ele nos capacita. Assim nos exortou o apóstolo Paulo: "Sejam meus imitadores, como eu sou imitador de Cristo" (1Co 11.1).

Você aceita o desafio?

1
Colocar-se no lugar do outro

Trata-se da capacidade de imaginar-se vivendo as experiências de outra pessoa, compreendendo suas alegrias, mas também suas dores e necessidades. É encarar as circunstâncias tal como o outro faria.

Provérbio: "Pimenta nos olhos dos outros é refresco". Será?

Desde as primeiras até as últimas horas do dia, o ser humano precisa cuidar de si próprio, de seu bem-estar, cumprindo suas obrigações. A preocupação consigo mesmo é inerente ao indivíduo, e é importante que seja assim. Mas, quando a própria pessoa se torna o principal foco de sua vida, começam as dificuldades para entender o outro e, assim, colocar-se no lugar dele.

A primeira dessas dificuldades é a agenda cheia. São muitas as demandas por atualização e conquistas, muitos os afazeres e obrigações. Isso aumenta a sensação de que não há tempo suficiente para tudo o que precisa ser feito. Então, ocupados com a própria agenda, passamos a negligenciar o outro — minha agenda vem em primeiro lugar.

A segunda dificuldade é o egocentrismo. As necessidades e os desejos pessoais norteiam as decisões de tal forma que o foco em si mesmo se torna indisfarçável. Por vezes, quando alguém começa a falar de suas dores em um diálogo, a pessoa que ouve interrompe querendo mostrar quanto a sua situação é pior. Algumas conversas até parecem uma competição de quem sofre mais, trabalha mais ou está mais doente. São sinais de um olhar autocentrado. O resultado é a normalização de um posicionamento que visualiza o mundo sempre a partir de si, e não do olhar do outro.

A terceira circunstância que nos impede de ver o mundo da perspectiva do outro é o julgamento. Paul Tournier, um psiquiatra suíço, dizia que o problema não é julgar. Todo ser racional, dotado de inteligência, tem a capacidade de julgar, de discernir entre o bom e o ruim, o certo e o errado, de acordo com sua formação cultural e pessoal. O problema está em julgar já condenando o outro, arrogando-se o direito de criticar suas escolhas e atitudes.

É claro que há momentos em que o outro toma decisões erradas e colhe as consequências delas. Mas até nesses momentos é necessário um esforço para entender tanto o contexto que o levou a essas atitudes quanto o sentimento resultante das consequências de suas escolhas.

O que Jesus nos ensina

A missão principal de Jesus foi colocar-se no lugar do outro. E Paulo nos exorta a sermos iguais a ele. O apóstolo escreveu à igreja de Filipos:

> Tenham a mesma atitude demonstrada por Cristo Jesus.
>
> Embora sendo Deus,
> não considerou que ser igual a Deus
> fosse algo a que devesse se apegar.

Em vez disso, esvaziou a si mesmo;
assumiu a posição de escravo
e nasceu como ser humano.
Quando veio em forma humana,
humilhou-se e foi obediente
até a morte, e morte de cruz.

Filipenses 2.5-8

Jesus era Deus e colocou-se no lugar do ser humano. Esvaziou-se de toda a sua glória e viveu como um de nós. Soube o que era ser criança, adolescente, jovem e adulto. Sentiu fome, sede, sono e cansaço. Dores, desprezo e traição. Sofreu com a morte de um amigo e irou-se com o comércio na porta do templo. Teve compaixão dos doentes, abençoou as crianças e conseguiu como ninguém enxergar o coração de cada pessoa marginalizada.

A cruz foi a maior demonstração da capacidade de Cristo de ocupar o lugar do outro. Sendo o próprio Deus encarnado, nele não havia nenhum mal ou pecado. Não merecia nenhuma condenação. Ainda assim, colocou-se em nosso lugar e recebeu o castigo por todos, ao ser pendurado no madeiro.

Para que consigamos nos colocar no lugar do outro, precisamos estar ao lado dele. Jesus conviveu com as pessoas e estava sempre à disposição delas. Quando Jairo o interceptou para que curasse sua filha, Jesus prontamente o atendeu. Não pôs impedimentos, não apresentou seus compromissos. E no caminho, ao ser tocado por uma mulher hemorrágica, Jesus mais uma vez modificou sua agenda para estar com aquela que tanto creu e o buscou (Mc 5.21-43).

Lembro-me do falecimento da mãe de uma amiga. O velório seria em um domingo pela manhã, em outra cidade.

Sempre temos muitas atividades nas manhãs de domingo, mas eu estava decidida a participar da cerimônia fúnebre. Uma conhecida manifestou o desejo de ir, pois também era amiga da família. Ela precisou deixar para trás algumas responsabilidades que teria em sua igreja naquele dia. Quando seu marido a questionou sobre isso, ela respondeu: "Se não estivermos disponíveis para as pessoas em momentos como este, quando estaremos?". Ela mudou sua agenda para estar com quem precisava dela naquele dia. Ela me lembrou Jesus.

Às vezes estamos perto, mas não vemos o que nos cerca. Estar é mais que compartilhar o mesmo espaço geográfico. É ter a oportunidade de ver junto com o outro e da forma como ele vê. Hoje possuímos aparelhos eletrônicos que nos conectam a pessoas em outras localidades, mas que muitas vezes nos afastam das que estão do nosso lado. Para colocar-se no lugar do outro é preciso estar perto dele e enxergá-lo, mas também ver como ele vê.

Jesus olhava demoradamente para as pessoas. E com um olhar compreensivo, que não condena, mas que vê além das limitações, pois enxerga nelas sua própria imagem, que pode ser restaurada, transformada e reconciliada com ele.

Antes de ter filhos, eu tinha muitas ideias e teorias de como deveria ser a educação de uma criança. Se eu visse uma delas fazendo birra, concluía que os pais não tinham controle, que a criança era mimada e que faltava uma correção mais enérgica.

Meu dia chegou. Tive o primeiro filho e tudo parecia equilibrado. Eu tinha rotina, regras, consistência, era atenciosa, amorosa, supria necessidades básicas, ensinava o caminho de Deus, levava para os cultos na igreja e para a escola bíblica. Sentia-me capaz de criá-lo da melhor maneira possível. Quando ele estava com cerca de 3 anos, começou a estudar numa escola onde fez novos amigos. Alguns meses depois do início das aulas, um colega o convidou para passar uma tarde em sua casa. Aceitamos o convite, e ele foi. Quando fui buscá-lo, ele não queria ir embora. Começou a gritar e se recusava a me acompanhar. Lá estava eu, com minha outra filha no colo, constrangida diante daquela cena e sem qualquer controle sobre a situação. A família me olhava demonstrando simpatia, e eu tentava explicar que ele não era assim. Após muito esforço, consegui colocá-lo dentro do carro. Lembro que os sentimentos de fracasso, vergonha e confusão me dominaram. Chorei ao fechar a porta do carro e me despedir da família. Pensei nas vezes que presenciei aquela cena, com os filhos de outras pessoas, e em como eu os havia julgado. Agora, havia acontecido comigo. Será que meu filho era mimado? Eu era inconsistente? Não sabia educá-lo? Fui confrontada com meus próprios julgamentos e consegui ver como outros devem ter se sentido na mesma situação.

É preciso colocar-se no lugar do outro quando ele se sente irado, abandonado, explorado, injustiçado. Jesus foi capaz de colocar-se em nosso lugar e fazer a substituição absoluta. Ele ficou com o pior lugar — a cruz. Aquele castigo não era para ele. A condenação era nossa. Mas ele tomou o nosso lugar. E, a partir de então, tudo foi transformado para melhor.

Vamos ser como Jesus?

ORAÇÃO

Senhor, ajuda-me a tirar o foco de mim para que eu possa enxergar o meu próximo e amá-lo a ponto de sentir suas dores e celebrar suas vitórias. Dá-me a capacidade de colocar-me no lugar do outro e assim viver de forma menos egoísta e mais semelhante a Cristo. Amém!

PARA REFLETIR

1. Quais itens ocupam os primeiros lugares de sua agenda? Eles são, de fato, prioritários?
2. Você consegue pensar em uma situação recente em que julgou a atitude ou a fala de uma pessoa sem que tentasse antes colocar-se no lugar dela?
3. Você já teve a experiência de colocar-se no lugar do outro? Como foi? O que você aprendeu com isso?

2

Saber ouvir

Ouvir é prestar atenção ao som captado pelos ouvidos. Perceber, levar em consideração o que é dito, dar valor e importância a uma fala.

Provérbio: "O falar é prata e o ouvir é ouro". Será?

Li recentemente que "falar é uma necessidade, escutar é uma arte". Como professora de diversas faixas etárias, testemunho muitos alunos querendo falar, mas sem disposição para ouvir. Alguém pede a palavra e tento conseguir silêncio e atenção para seu discurso. Para minha tristeza, porém, aquele que acabou de falar e foi ouvido logo começa a falar por cima do outro que pediu a vez. A atenção real dura pouco. Fico pensando em como é fácil nos perdermos em um mundo onde muito se fala e pouco se ouve.

Há fatores que nos impedem de ouvir: a pressa, o desinteresse e o desejo de falar. Ouvir exige tempo. É preciso atenção para entender o que o outro diz, só que a vida parece sempre corrida.

Muitos alegam falta de tempo, apesar de o dia ser ofertado da mesma forma para todos. A escolha de como usar esse tempo é que faz a diferença. Se vivemos correndo entre uma tarefa e outra, ouvir alguém pode parecer um desperdício. A pressa nos fecha os ouvidos e nos bloqueia a compreensão. É preciso desacelerar.

É fato que não nos interessamos por todas as questões ou falas. Até certo ponto, isso é justo e necessário. Não seria possível nem saudável acompanhar todos os assuntos e se importar com todas as temáticas. Ainda assim, precisamos desenvolver uma disposição para ouvir o outro, mesmo quando o assunto não for tão importante para nós. Ter interesse ao que é valioso para o outro é nobre e socialmente positivo. É perigoso quando só nos interessamos por aquilo que nos traz algum retorno individual direto. Alguma coisa além de nós mesmos precisa nos mover.

Em relação ao desejo de falar, talvez o gênero feminino fique à frente. Dizem que, de forma geral, as mulheres falam bem mais que os homens. Elas parecem sempre ter algo para contar — e com riqueza de detalhes. Não é que os homens não gostem de falar; mas eles acabam não acompanhando o ritmo da fala feminina. O que observo, porém, é que o fato de os homens usarem menos palavras que as mulheres não é suficiente para dizer que eles escutam mais. Eles podem estar em silêncio, mas simplesmente não estar atentos. Ou seja, em ambos os casos falta disposição para ouvir.

Cada um de nós provavelmente se lembra de alguma situação em que não ouviu completamente uma pessoa, em que se apressou em responder, se justificar ou sugerir uma ação. E, quando finalmente entendeu toda a história, percebeu que foi precipitado e errado. Falar demais pode colocar-nos em apuros. Por exemplo, é essencial ouvir antes de censurar o atraso de alguém ou o esquecimento de um compromisso. O motivo pode ter sido uma doença, a morte de um parente ou amigo próximo, um assalto ou simplesmente a falha em se lembrar do compromisso — algo que pode acontecer com qualquer um de nós.

O que Jesus nos ensina

Jesus diz: "Quem é capaz de ouvir, ouça com atenção!" (Mt 13.9). Afinal, o que ele quis dizer com isso? Quem seriam os incapazes de ouvir? Aqui, Jesus quer nos mostrar que nem todos usam seus ouvidos para ouvir. Há um trecho de uma música do compositor Vander Lee que diz assim:

> Sabe o que eu queria agora, meu bem?
> Sair, chegar lá fora e encontrar alguém
> Que não me dissesse nada,
> Não me perguntasse nada também.
>
> Que me oferecesse um colo ou um ombro,
> Onde eu desaguasse todo desengano.
> Mas a vida anda louca,
> As pessoas andam tristes,
> Meus amigos são amigos de ninguém. [...]
>
> Meu amor, deixa eu chorar até cansar,
> Me leve pra qualquer lugar
> Onde Deus possa me ouvir.

O autor está cansado de pessoas que sempre têm o que falar. Está angustiado por não encontrar alguém que o escute de verdade e clama por um lugar onde se sinta ouvido por Deus.

São características de um bom ouvinte a atenção, a empatia, o querer ajudar e o ser tardio no falar. Jesus demonstrou todos esses atributos. Merece destaque a narrativa da mulher adúltera que trouxeram diante dele para ser condenada (Jo 8.1-14). Jesus dá total atenção ao fato, sente a dor e a vergonha da mulher, deseja ajudá-la e, para isso, não se apressa em falar. Quando questionado sobre o que se deveria fazer com aquela mulher, Jesus fica em silêncio por alguns instantes. Escreve no chão algo que não nos foi revelado. Aquele silêncio exigia reflexão e pretendia trazer consciência para cada pecador. Quando enfim começa a falar, Jesus tira o foco da acusação e questiona a integridade de todos os presentes: "Aquele de vocês que nunca pecou atire a primeira pedra" (Jo 8.7). Ninguém ousa apedrejar a mulher. Ninguém tem direito nem condições morais de fazê-lo. Ao ouvir a exortação de Jesus, o que restou àquela multidão apressada em acusar foi retirar-se, para que eles mesmos não tivessem de sentar-se no banco de réus.

Em nossa família, temos o hábito de dedicar um momento do jantar para que cada um compartilhe os altos e baixos do dia. Fazemos o exercício diário de permitir que quem começou a compartilhar possa terminar e ter a atenção de todos antes que os demais possam falar ou se retirar. Nem sempre somos bem-sucedidos, mas continuamos tentando. Essa é uma prática importante que demonstra respeito, valoriza a experiência do outro e desenvolve a habilidade de ouvir.

No já mencionado encontro de Jesus com a mulher que sofria um fluxo de sangue (Mc 5.21-34), notamos que ele interrompeu o trajeto em direção a um compromisso importante que o aguardava, colocou a mulher no centro da narrativa e ouviu toda a sua história. Fico imaginando Jesus, sem pressa de seguir adiante, vivendo plenamente aquele momento de cura, demonstrando compaixão e dando importância àquela mulher. Numa época em que as mulheres não podiam manifestar-se publicamente nem conversar com homens na frente de outras pessoas, Jesus dá destaque a uma pessoa tida como impura, devido a sua hemorragia, e se importa com a história dela. Ali, o milagre não foi simplesmente estancar o sangue, mas mostrar quanto aquela vida era preciosa aos olhos de Deus. E Jesus fez isso diante de todos.

Ele sabia ouvir. Vamos ser como Jesus?

ORAÇÃO

Senhor, ensina-me o valor do ouvir. Não deixes que eu me ocupe mais com o falar e me torne surda ao mundo e ao próximo. Ajuda-me a viver como Cristo, valorizando a história do outro, dedicando minha atenção aos que me cercam e, principalmente, aos que nada têm para me oferecer. Amém!

PARA REFLETIR

1. A pressa tem sido algo constante em sua vida? O que você precisa fazer para desacelerar?
2. Pense em uma situação em que alguém estava falando e você já tinha a resposta pronta, antes mesmo que a pessoa terminasse de falar. Isso ocorre com que frequência em seus relacionamentos?
3. Que medidas você precisa tomar para aprender com Jesus a arte de ouvir?

3

Servir com alegria

Servir é ser útil a alguém, auxiliando na realização de alguma coisa. É querer ajudar, cuidar, agradar, satisfazer e estar disponível. É zelar pelo bem-estar ou pela saúde do outro. É desempenhar uma função, um serviço, atender a um propósito. É trabalhar na defesa de uma causa, de uma ideia ou em favor de alguém.

Provérbio: "Farinha pouca, meu pirão primeiro". Será?

Na cultura popular brasileira, quem não tira proveito das situações para se beneficiar é, suavemente falando, um "bobão". Os espertos são os que cuidam de si. Já ouvi algumas vezes o seguinte discurso: "Existem dois tipos de problemas: o tipo *meu* e o tipo *seu*. Esse é tipo *seu*. Então, se vira".

Certamente há momentos em que as pessoas devem assumir a responsabilidade pelos problemas que causaram e buscar soluções para eles. Contudo, esse tipo de discurso às vezes só reflete o fato de que não me importo com o problema do outro e não estou disponível para colaborar com a solução. "Se não tem para todos, tem que ter pelo menos para mim", pensam muitos por aí.

Olhando para a história de nosso país, é compreensível esse sentimento de abandono e orfandade. O Estado é falho e omisso, as famílias são, em diversos casos, disfuncionais, e a mentalidade do povo é influenciada por um sentimento de que "se eu não lutar por mim, ninguém lutará". É nesse momento que Jesus faz toda a diferença. Ele nos mostra que é possível servir com alegria, pois ele nos amou e nos serviu primeiro.

Alguns fatores podem nos desanimar a servir, especialmente se for com alegria. Um deles é a ocupação com a própria vida. Quando surgiram as máquinas a vapor e a Europa inaugurou o que ficou conhecida como Revolução Industrial, havia um sentimento otimista de que as máquinas substituiriam de tal forma o trabalho humano que as pessoas trabalhariam menos e teriam mais tempo para atividades de lazer, família e descanso.

Os séculos passaram, as máquinas continuam a surgir e a velocidade de produção só cresce. Mas as pessoas não estão trabalhando menos. Hoje, há pessoas que quase não veem a luz do sol, pois saem para trabalhar enquanto ainda está escuro e só retornam depois que o sol se pôs. As máquinas não diminuíram o trabalho humano — elas nos empurraram para outras atividades. Sendo assim, como conseguir tempo para, além de tudo, preocupar-se com a vida dos outros?

Outro fator que pode nos desanimar a servir é a fadiga. Se o corpo está cansado, adoecido, vulnerável, perdemos o ânimo para qualquer coisa. No mundo moderno, somos por vezes impelidos a ter uma alimentação rápida e prática que nem sempre é saudável. Produtos industrializados, cheios de gordura, açúcar e sódio, são consumidos em demasia, fragilizando o corpo. De igual modo, o sedentarismo, causado pela comodidade dos veículos modernos e de ambientes de trabalho que limitam nosso movimento e nossa mobilidade, vai deixando o corpo preguiçoso. Além disso, há o estresse, a ansiedade, o pânico e as tendências depressivas que ameaçam a saúde emocional e fazem que as pessoas não se sintam capazes nem desejosas de ajudar ninguém.

Mais um fator que pode nos desanimar a servir é o sentimento de exploração. Muitos se sentem explorados quando servem a alguém, e isso pode ser de fato uma realidade. Há pessoas que se aproveitam da boa vontade alheia e se acostumam a receber cuidado, sendo que elas mesmas poderiam se esforçar para suprir as próprias necessidades.

Esse sentimento de exploração pode nos afetar em casa, quando sentimos que trabalhamos tanto pela família, mas ninguém reconhece. Também pode surgir quando investimos em alguém que não agradece ou que, depois de atendido, se esquece da nossa existência, até surgir a próxima necessidade. Para que isso não nos desanime, devemos voltar nossos olhos para Cristo.

O que Jesus nos ensina

Jesus nos mostra as verdadeiras características de um servo: humildade, disponibilidade e sensibilidade às necessidades do outro. O único que poderia ser verdadeiramente orgulhoso de suas capacidades escolheu esvaziar-se de sua glória e esplendor, limitar-se ao tempo e ao espaço, diminuir-se e conviver com criaturas tão pequenas quanto nós. Jesus fez isso para que pudéssemos nos reconciliar com o Pai. Por nos amar, ele decidiu que valeria a pena o sacrifício e não desistiu de nos alcançar.

Jesus nos ensina que o valor em servir está em agradar ao Pai. Por querermos honrá-lo é que vale a pena servir. Assim, precisamos revisar nossas ocupações e estabelecer prioridades.

Uma vez ouvi alguém dizer que a gente sabe o que realmente importa quando arruma tempo para isso nas horas em que parece não haver tempo. Eu evito dizer que "não tenho tempo". Creio que o tempo existe — a diferença está no que escolho fazer com ele. Não precisamos estar desocupados para servir. Temos de estar disponíveis.

De igual modo, precisamos lembrar-nos da importância do descanso. Essa é uma área à qual preciso dedicar-me constantemente. Descansar dá muito trabalho! O fato é que nos Dez Mandamentos, a diretriz de conduta e proteção para o ser humano, Deus destacou a importância do descanso:

> Lembre-se de guardar o sábado, fazendo dele um dia santo. Você tem seis dias na semana para fazer os trabalhos habituais, mas o sétimo dia é o sábado do Senhor, seu Deus. Nesse dia, ninguém em sua casa fará trabalho algum: nem você, nem seus filhos e filhas, nem seus servos e servas, nem seus animais, nem os estrangeiros que vivem entre vocês. O Senhor fez os céus, a terra, o mar e tudo que neles há em seis dias; no sétimo dia, porém, descansou. Por isso o Senhor abençoou o sábado e fez dele um dia santo.
>
> Êxodo 20.8-11

Jesus dormia e tinha momentos de solitude e renovação por meio do afastamento das multidões, da comunhão com o Pai e do tempo de oração. Com isso, ele estava pronto para servir quando era necessário.

Há tempo para tudo. Servir com alegria é possível quando a nossa motivação é honrar a Deus, não receber algo em troca. Jesus disse: "Pois desci do céu para fazer a vontade daquele que me enviou, e não minha própria vontade" (Jo 6.38).

Jesus disse que colocaria à sua direita aqueles que estivessem prontos a servir aos outros com os recursos de que dispunham. Quem dá comida ao faminto, água ao sedento, abrigo ao estrangeiro, roupa ao nu, remédio ao doente, quem visita o encarcerado e faz aquilo de que os necessitados precisam, esse está servindo ao próprio Deus. A conclusão é impactante: quem não estivesse disposto a servir seria condenado e perderia a vida eterna (Mt 25.31-46).

Você tem alegria em servir? Paulo nos exorta lembrando que o ensinamento de Jesus é viável e realista. Em Atos 20.35, ele diz: "Fui exemplo constante de como podemos, com trabalho árduo, ajudar os necessitados, lembrando as palavras do Senhor Jesus: 'Há bênção maior em dar que em receber'". Paulo conseguiu. Servir a Cristo com inteireza de coração nos torna servos amorosos de todos.

Jesus nos inspira e capacita a servir. Que façamos isso com alegria. Vamos ser como Jesus?

ORAÇÃO

Senhor, perdoa-me pelas vezes em que desejo mais ser servida do que servir. Mostra-me como posso ser semelhante a Jesus na vida dos outros e ajuda-me a alegrar-me com cada oportunidade de atender a uma necessidade ofertando os dons, talentos e recursos que tu puseste em minhas mãos para o benefício do próximo. Amém!

PARA REFLETIR

1. Quais são os dons, recursos e talentos que o Senhor tem colocado em suas mãos?
2. O que tem sido seu maior impedimento para servir com alegria: ocupação pessoal, fadiga ou sentimento de exploração?
3. Relembre algumas oportunidades que você tem aproveitado para servir e reflita sobre os sentimentos decorrentes desse serviço: alegria, frustração, satisfação, ansiedade ou algum outro?

4

Ter tempo para o que importa

Tempo reflete a duração das coisas. Engloba um período de momentos, horas, dias, semanas, meses ou anos nos quais os eventos se sucedem, dando a noção de passado, presente e futuro.

Provérbio: "Tempo é dinheiro". Será?

Ao escrever este capítulo, encontro-me na escola. É início de agosto, e escuto um professor dizendo: "Gente, já é formatura!". A formatura é em dezembro, mas o espanto dele se dá ao pensar em tudo o que ainda precisa ser organizado e preparado até lá. A sensação é que hoje já estamos vivendo o amanhã. O tempo voa!

Costumo dizer, em tom de descontração, que o tempo voa principalmente quando estamos nos divertindo. Digo isso em relação às minhas aulas, porque sempre acho que acabam rápido; mas talvez meus alunos não concordem comigo. Podemos viver o mesmo momento e a sensação da velocidade desse tempo ser diferente para cada pessoa. Se eu me empolgo com a atividade, o tempo passa rápido. Se o assunto não me interessa, o tempo parece se arrastar.

Em geral, as pessoas reclamam de falta de tempo, e de fato o tempo parece ser uma moeda valiosa para nossos dias.

Então, precisamos aprender com Jesus como utilizá-lo com sabedoria.

A sensação de falta de tempo pode vir, por exemplo, da desorganização. Você conhece alguém que começa algo e não termina? Que nunca sabe onde estão suas coisas? Que deixa tudo fora de ordem? Será que você é assim? A desorganização bagunça nossa noção de horário e nos faz perder tempo. Irrito-me quando não encontro o que preciso na hora certa. Passar tempo procurando algo é frustrante, pois é uma atividade improdutiva e que poderia ter sido evitada se houvesse tido um pouco mais de organização. A pressa em fazer as coisas por vezes causa desordem, e confesso que enfrento isso esporadicamente. Quantas vezes faço algo sem prestar atenção porque estou com pressa e depois não me lembro dos detalhes, se tranquei a porta, se desliguei o fogão! Então, perco tempo tendo de voltar para conferir tudo. "Devagar também é pressa", diria a sabedoria popular.

A falta de objetivo também pode ser um problema. Há uma frase na história de *Alice no País das Maravilhas* que diz: "Quando não se sabe para onde vai, qualquer caminho serve". Viver sem propósito, sem convicção dos próprios objetivos, é um fator que nos leva a perder o controle da passagem dos dias. Precisamos nos conhecer, desenvolver nossas habilidades e vocação, saber o que Deus espera de nós para que caminhemos naquela direção.

Outra questão pode ser um desequilíbrio de valores. O que realmente importa? Ganhar mais dinheiro, comprar bens, abastecer a família com tudo o que você não teve quando criança, ter um corpo escultural, ser reconhecido pelas pessoas? Quanto estamos dispostos a investir em cada uma dessas coisas?

Uma bandeira de cartão de crédito dizia em sua propaganda que algumas coisas não tinham preço, mas que para todas as outras ele estaria à disposição. Será que reconhecemos verdadeiramente o que não tem preço e estamos interessados em investir nisso? O que é mais importante: um vestido novo ou uma vida saudável? Um presente caro para o filho ou tempo de qualidade para relacionar-se com ele? Ostentar o carro do ano ou poder caminhar a pé com a família? Talvez saibamos as respostas certas para essas perguntas; a diferença está em quanto conseguimos viver de acordo com o que dizemos ter valor para nós.

Embora muitas vezes nos apresentemos como vítimas da correria, temos a nossa parcela de responsabilidade pelo uso que damos ao tempo. É preciso tomar decisões. É preciso aprender a viver. É preciso olhar para Jesus.

O que Jesus nos ensina

Jesus não era apressado. Ele teve tempo para coisas que a sociedade frenética atual não valorizaria. Ele sabia o que importava e nos mostrou isso de forma prática.

Jesus se importava com o próximo. Ele falou com a estrangeira que encontrou à beira do poço, demonstrou interesse pela vida dela e a desafiou a beber da água da vida (Jo 4.1-42). Jesus valorizou o ato de contemplação dos lírios dos campos e das aves do céu, não só como meras paisagens naturais, mas como sinais da beleza da criação e do cuidado de Deus (Mt 6.25-34).

Jesus lavou os pés dos discípulos e fez com isso uma bela demonstração de seu propósito em servir (Jo 13.1-14). Também foi paciente e dedicou tempo para responder às perguntas, muitas vezes ingênuas, de seus discípulos (Jo 14.1-14).

Jesus tinha total disposição para o diálogo, ainda que fosse confrontado ou afrontado pelos outros.

Jesus também se retirava para orar (Lc 5.16), o que demonstra a importância que o relacionamento com Deus exercia em sua vida. Reconhecia o valor de isolar-se da multidão para aproximar-se mais do Pai, para ser abastecido e renovado pelo amor divino e para receber direção. Jesus chegou a passar uma noite inteira em oração antes de uma decisão importante — a escolha dos discípulos (Lc 6.12). Também buscou a Deus no Getsêmani, em seu momento de mais profunda dor e tristeza (Mt 26.45-46).

Para o que você tem tempo? Precisamos de tempo para contemplação silenciosa, para estar com Deus, para servir ao próximo. Jesus conseguiu. Vamos ser como ele?

ORAÇÃO

Senhor, mostra-me o que realmente importa para que eu dedique tempo ao que tem valor e não desperdice o presente, que é uma dádiva que tu me deste. Ensina-me a gerir meus dias, a fim de que eu viva com sabedoria. Amém!

PARA REFLETIR

1. Você costuma sentir que não tem tempo? Explique esse sentimento.
2. A desorganização é algo que atrapalha sua gestão do tempo? Em caso afirmativo, o que fazer para melhorar essa situação?
3. Você consegue identificar os planos de Deus para sua vida? Se sim, quais são eles? Se não, o que precisa fazer para conhecê-los?

5

Receber vida simples e entregar tudo

Uma vida simples equivale a uma conduta modesta, singela.
É viver sem complicar, caminhar sem ostentar. É não usar
disfarce. Ser espontâneo e franco.
Entregar é transferir, dar ou restituir. Envolve confiança,
colocar-se à guarda de alguém. Sacrificar-se por alguém ou
por uma causa. Dedicar-se inteiramente.
Tudo significa tudo. Ousadamente absoluto.

Provérbio: "Quem tudo quer, nada tem". Será?

Sua vida é simples ou complicada? Deus preparou um farto jardim para acolher a humanidade. Adão e Eva foram os primeiros a habitar ali. Eles receberam uma indicação de vida simples, mas plena. Porém, surgiu a ideia de que havia algo mais. Desejaram saber o que ainda não sabiam. Iludiram-se ao achar que seus olhos seriam abertos, mas acabaram por se fechar para o belo. O diálogo diário com Deus foi rompido. Instaurou-se um vazio. A morte chegou, e as pessoas passaram apenas a sobreviver, como mortos-vivos. A feiura e a pecaminosidade ganharam predominância, e a vida se tornou mais complicada.

O mundo, hoje, reflete essa condição. Vivemos em constante insatisfação. Queremos mais tempo, dinheiro, bens, comida, sucesso e alegria. Para quê?

Alguns fatores complicam a vida, e o primeiro deles é o desejo por controle. O ser humano, desde a infância, tem o anseio de controlar. As crianças nem ainda entendem do que precisam, mas já querem decidir por conta própria. Gritam e choram quando não têm suas vontades atendidas. No desenvolvimento saudável da vida, isso é uma fase que precisa ser superada. Contudo, há muitos adultos que ainda não conseguem lidar com a frustração e acabam reagindo com imaturidade.

O salmista nos exorta: "Aquietem-se e saibam que eu sou Deus!" (Sl 46.10). Em outras palavras, Deus está dizendo que precisamos saber que só ele é Deus; nós não somos. E precisamos ouvir isso com frequência, pois somos inclinados a querer ser Deus, a estar sempre no controle. A própria preocupação pode ser uma tentativa de controlar. Ficamos apreensivos, pois tememos que as coisas não aconteçam de acordo com nosso comando.

O fato é que muitas coisas estão fora de nosso controle: crises econômicas, mudanças climáticas, enfermidades repentinas, escolhas insensatas tomadas por outras pessoas, criminalidade, acidentes, e assim por diante. Se considerarmos o controle algo imprescindível para a nossa felicidade, a vida acabará por se tornar pesada, complexa e cheia de decepções.

O segundo fator que complica a vida é a insatisfação e a ingratidão. A serpente lançou na mente de Eva uma insatisfação. Daí surge o desejo de querer o que não se tem. Se não estou saciado, preciso de mais. Então, vem a ingratidão. Não se celebra o que já foi conquistado. A grama do vizinho parece sempre mais verde. A vida alheia parece sempre mais fácil, mais bela, mais empolgante. Se você não é grato pelo que já tem, por que quer mais? Para ser ingrato mais uma vez? O caminho da insatisfação e da ingratidão será interminável, se não houver o sincero desejo de transformá-lo.

O terceiro fator que complica a vida são os vícios. Talvez a maioria de nós resista à ideia de que possui algum vício. É uma palavra pesada, que associamos com drogas, bebidas, cigarro, pornografia e práticas sexuais imorais. O vício, na realidade, é qualquer costume prejudicial; pode começar como um hábito aparentemente inofensivo que termina por nos aprisionar.

Os vícios complicam a vida. Eles dirigem os desejos, comprometem os recursos e o tempo. O vício robotiza e coisifica o ser humano, tornando-o dependente de determinada substância ou prática. Gera um anseio crescente por algo de valor decrescente. É um ciclo nocivo, um caminho de morte.

Dizem que a diferença entre o remédio e a droga é a dose. Substâncias que, usadas com moderação, não são prejudiciais, quando usadas em excesso, fogem do controle. Comer, assistir séries, usar as redes sociais e até fazer ginástica podem, sem moderação, tornar-se pesos que viciam, aprisionam e complicam a vida.

O que Jesus nos ensina

Desde sua vinda ao mundo, Jesus escolheu a vida simples. Sua "maternidade" foi uma estrebaria cheia de animais, e seu berço, uma manjedoura. Filho de um carpinteiro, cresceu em Nazaré, onde não havia nada de nobre (Jo 1.46). Andava com gente comum e era acessível a todos.

Jesus rejeitou riquezas e requintes. Após realizar o milagre da multiplicação de pães, as pessoas ficaram maravilhadas. Jesus sabia que elas queriam obrigá-lo a ser rei e afastou-se delas, pois não era esse seu objetivo (Jo 6.1-15). Não olhava para as pessoas com superioridade nem com arrogância. Antes, sentia compaixão delas (Mt 9.36). Seus seguidores mais próximos não eram eruditos, mas homens comuns, sem instrução formal (At 4.13).

O que você precisa entregar para que sua vida seja mais simples e plena? Ralph Waldo Emerson, um escritor norte-americano, disse: "Tudo que vi ensina-me a confiar no criador para tudo que não vi". Que declaração tranquilizadora! Precisamos dessa confiança para poder entregar tudo. Não temos todas as respostas nem conseguimos prever o futuro, mas Deus nos dá sinais suficientes de seu cuidado, amor, provisão e proteção. A quem temeremos?

Quando entendemos o valor e a riqueza da vida simples, depositamos tudo nas mãos de Deus, pois não podemos proteger nada. Certa vez, estava dirigindo para um evento familiar e capotei com o carro. Não havia nada errado. Os pneus eram novos, não estava chovendo, nem havia óleo na pista. Eu dirigia dentro do limite de velocidade. Fui ultrapassar um caminhão e a impressão que tive foi que, na mudança de pista, o carro simplesmente não me obedeceu mais. Escorreguei para o canteiro central da rodovia, que era muito íngreme. O carro virou e depois invadiu a pista contrária. Bati em outro veículo e parei no acostamento. Segundos que poderiam ter ceifado a minha vida e a de todos os que estavam comigo. Um momento marcante, em que a gente vê a vida por um triz e percebe que não tem poder para assegurá-la.

Curiosamente, eu tinha passado havia pouco tempo por uma consulta na qual a médica me dissera animada que minha saúde estava ótima e que eu teria uma vida longa. Dias depois, a vida quase se foi. Jim Eliott, um cristão que foi assassinado no campo missionário, disse: "Não é tolo aquele que abre mão do que não pode reter para ganhar o que não pode perder".

Entendi melhor essa afirmação no dia do acidente. Não quero tentar segurar o que não tenho como proteger. Tudo o que tenho e sou quero depositar nas mãos do Senhor.

Jesus veio para que pudéssemos viver plenamente (Jo 10.10), e a vida plena e abundante é simples. Precisamos desfrutá-la com leveza e entregar todo o peso a ele, que é quem verdadeiramente nos satisfaz. Vamos ser como Jesus?

ORAÇÃO

Senhor, ajuda-me a enxergar como tenho complicado a minha vida. Liberta-me do desejo de controle, da insatisfação, da ingratidão e dos vícios. Ajuda-me a viver plenamente na tua simplicidade e a entregar tudo, todos os dias, a ti. Oro em nome de Jesus. Amém!

PARA REFLETIR

1. De que maneiras você tem complicado sua vida?
2. Descreva uma vida simples dentro da expectativa de ser como Jesus.
3. Entregar tudo a Deus é um desafio para você? Por quê?

6
Buscar o diálogo

Diálogo é uma conversa em que há interação entre dois ou mais indivíduos. É uma via de mão dupla. Há uma abertura sincera para construir uma comunicação na qual flui um aprendizado mútuo.

Provérbio: "Quem não se comunica, se trumbica". Será?

Dizer que queremos diálogo pode até parecer bonito, nobre e educado. Na prática, não é tão simples assim. No Brasil, por exemplo, é comum ouvir que religião, política e futebol não se discutem. Isso é resultado de uma atitude fechada ao diálogo, na qual não há troca, não há abertura para receber algo da outra parte.

Não raro, em vez de dialogar, as pessoas preferem discursar. Isto é, envolvem-se numa fala única, num sermão, como se estivessem em sala de aula, expondo conhecimento a alunos silenciosos e atentos. Esse tipo de discurso, por si só, pode ser enriquecedor. Mas não é diálogo. O diálogo pressupõe interatividade e visa o desenvolvimento mútuo. Todos têm algo para ensinar e para aprender. Você é bom de discurso ou de diálogo?

Certamente não gostamos de tudo o que ouvimos, mas também falamos coisas que outros não gostam de ouvir. A liberdade de expressão e a tolerância mútua são valores fundamentais para a vida em sociedade. Há uma frase comumente atribuída ao pensador francês Voltaire que resume bem o seu modo de pensar: "Eu discordo do que você diz, mas defenderei até a morte o seu direito de dizê-lo". Fico pensando nos salmos bíblicos que expressam ira, frustração, medo, angústia, desejo de vingança e até indignação contra Deus, e que ainda assim estão registrados nas Escrituras. Deus não nos cala. Ele quer nos ouvir integralmente e recebe com tranquilidade as nossas emoções.

Cada cultura tem as próprias peculiaridades no exercício da comunicação. Enquanto alguns povos não se preocupam tanto se os outros concordam ou não com eles, nós, brasileiros, tendemos a desejar aprovação. Isso se constata pelo modo como completamos nossas frases: "não é mesmo?", "entendeu?", "sabe como é?". Esperamos ouvir retornos positivos.

No filme *Casamento grego*, há uma cena em que as mulheres de uma família querem convencer o pai de que a filha deveria trabalhar na agência de turismo da família. Por questões culturais, elas entendem que aquilo só dará certo se o pai achar que a ideia partiu dele próprio. Então elas desenvolvem uma conversa orquestrada para que ele chegue à conclusão de que a melhor coisa para a filha é trabalhar na agência de turismo. Um discurso de convencimento e manipulação. Não foi um diálogo verdadeiro.

Esse tipo de comportamento pode ser desenvolvido nas mais variadas interações sociais: na família, no ambiente escolar, no trabalho e até na igreja. Podemos justificar que temos boas intenções e que nossos objetivos são nobres. Mas tal comportamento não representa um diálogo verdadeiro e pode ser nocivo e até desleal, visto que não há sinceridade nem transparência sobre os objetivos da conversa. Em sendo recorrente, essa prática pode resultar em relacionamentos tóxicos, opressivos e abusivos.

Há pessoas, ainda, que acreditam já saber de tudo. É quase impossível aprender alguma coisa dessa forma. Costumo dizer que reconhecer a existência de um problema já é metade do caminho para resolvê-lo. Sou mãe de três pessoas lindas. Verdadeiros presentes de Deus. Cada filho me humaniza e santifica de forma única, e sou grata a Deus pela dádiva de poder nutrir, educar e discipular essas vidas. E, como toda mãe, sempre tenho instruções a dar para os filhos. Muitas não são diretrizes novas, mas repetições de algo já ensinado. Mesmo assim, nem sempre elas são seguidas. Não raro, começo a falar alguma coisa e eles me interrompem, dizendo: "Já sei, mãe!". Minha reação é: "Se sabe, por que não faz?". Se fizesse, eu não precisaria falar novamente. Se a pessoa sabe, mas não pratica, esse saber não tem serventia alguma.

Apontar as falhas dos filhos é fácil, mas quantas vezes nós, adultos, também não nos comportamos assim? Nesses momentos, não há diálogo. E a porta se fecha para o crescimento.

O que Jesus nos ensina

Jesus é um exemplo magnífico de que vale a pena dialogar. Repetidas vezes ele ouviu palavras desnecessárias, egoístas, até absurdas. Ainda assim, ele não calava as pessoas. Estava aberto ao diálogo.

Jesus ouviu o pedido do leproso e interagiu com ele. Mostrou amor e compaixão ao se relacionar com alguém rejeitado pela sociedade (Mc 1.40-45). De igual modo, quando o cego Bartimeu suplicou, Jesus ouviu, pediu que aquele homem fosse levado até ele e lhe perguntou: "O que você quer que eu lhe faça?". Diálogo! Pode falar, pois Jesus escuta. E a cura foi ministrada

(Mc 10.46-52). Ao encontrar o pai de um menino endemoniado, Jesus ouviu sua luta, pediu para ver o menino e quis mais informações sobre o ocorrido. Diante da abertura ao diálogo que Jesus lhe dá, aquele pai confessa: "Eu creio, mas ajude-me a superar a minha incredulidade". Gosto dessa confissão: creio e não creio. Jesus entende nossa luta entre a fé, o medo e a incerteza (Mc 9.14-27). Tarde da noite, Jesus travou um diálogo com Nicodemos. Ouviu suas dúvidas e estava disposto a dar esclarecimentos (Jo 3.1-21). E quantas vezes ele ouviu as inquietações de seus discípulos e dialogou com eles?

Jesus é o único que poderia usar o "já sei" como discurso. Mas ele escolheu dialogar. Aprendeu isso com o próprio Pai, que sempre foi exemplo de comunicação. Em João 1, quando o evangelista apresenta Jesus como a Palavra de Deus, está afirmando que Jesus foi a mais linda e perfeita comunicação de Deus com a humanidade. Deus se diminuiu para falar conosco por intermédio de Jesus. Aberto ao diálogo com o ser humano desde o Jardim do Éden, Deus não desistiu de nós e, em Jesus, transmitiu a reconciliação.

Dois maravilhosos canais de comunicação que temos com Deus são a leitura da Bíblia e a oração. Pela Bíblia, temos acesso à voz de Deus registrada em palavras, uma voz criadora, legisladora, histórica, poética, profética, salvadora, perdoadora, transformadora. Com a oração, vamos ao encontro dele e falamos, choramos, questionamos, intercedemos, adoramos, e também ouvimos de coração aberto e disposto o que ele tem a nos dizer.

Milton Santos, um geógrafo brasileiro, disse que "comunicação é troca de emoção". Que linda definição! Abrir-se ao diálogo é abrir-se para sentir, ouvir e falar. Deus faz isso conosco. Jesus viveu em diálogo. Vamos ser como ele?

ORAÇÃO

Pai querido, obrigada por desejares dialogar comigo. Obrigada por Jesus e pela reconciliação. Reconheço que muitas vezes quero apenas falar e não tenho estado aberta para a troca, para o crescimento mútuo. Não me deixes desenvolver a manipulação, nem me fechar ao aprendizado. Clamo para que me ajudes a ser como Jesus, a estar aberta ao diálogo. Em nome dele eu oro. Amém!

PARA REFLETIR

1. Segundo a cultura popular, futebol, religião e política são coisas que não se discutem. Você concorda? Como desenvolver um diálogo sobre esses temas?
2. Pense em um tema que lhe causa incômodo e tente desenvolver um diálogo, mesmo que fictício, considerando o ponto de vista do outro. É um bom exercício!
3. Que diálogo de Jesus mais inspira você? Que diálogo gostaria de ter com ele?

7
Viver o discipulado

Discipulado é um processo de aprendizagem no qual existe a compreensão de que professor e aluno, mestre e pupilo, caminham lado a lado. Envolve vivência compartilhada. Observação, imitação, discência, preparação, estudo, instrução, treinamento.

Provérbio: "Diga-me com quem andas e te direi quem és". Será?

Às vezes paro para pensar nas características do mundo atual, com sua rica tecnologia digital que nos transporta para espaços imateriais, virtuais, não palpáveis. Como professora de geografia, intriga-me esse lugar que não posso indicar no globo terrestre. Quais as coordenadas geográficas das redes de relacionamentos virtuais? Elas se localizam em qual hemisfério? Qual a latitude e longitude? E, como professora de sociologia, interessa-me também notar as mudanças nos níveis de vínculo e compromisso dos relacionamentos humanos atuais.

Confesso que não sou muito atualizada nos avanços tecnológicos. A sensação é que sempre estou atrasada em relação às novidades. Nesse sentido, meus filhos adolescentes são de grande ajuda. Até mesmo ligar a televisão, ato que na minha infância consistia em simplesmente apertar um botão, ficou complicado: três controles remotos, diversos comandos e números a ser selecionados. Tive de fazer algumas anotações para poder assistir ao noticiário quando não houvesse nenhum adolescente em casa.

Fui uma das últimas no meu grupo de amigas a usar o WhatsApp. Depois que virei motivo de piada por ainda enviar SMS, decidi aprender a usar esse aplicativo. Estou indo bem, e ele pode mesmo ser muito útil. Tenho Facebook, mas não atualizo nem verifico as mensagens com frequência. A última rede social a que me integrei foi o Instagram. Publico semanalmente o material de uma campanha de oração da nossa comunidade.

A ressignificação de termos é um aspecto curioso desse mundo digital. No Facebook, a pessoa pode fazer muitos amigos em um mesmo dia — algo que na vida real demanda tempo, trabalho e investimento. Já o Instagram nos conecta com seguidores de forma prática e rápida. A pergunta, então, é: nos dias de hoje, o que significa ser amigo e seguidor de alguém?

A identidade do ser humano é em grande parte influenciada pelo mundo do consumo, determinado pelo mercado. Podemos ou não ser fornecedores de algum bem ou serviço, mas jamais conseguimos fugir do papel de consumidores. Desejamos, comparamos, compramos, usamos, quebramos, desgostamos, descartamos e o ciclo recomeça: novo desejo, comparações e aquisições. Isso mantém a economia funcionando. Produtos são feitos para quebrar e sair da moda, para que o ciclo gire.

A situação fica especialmente grave quando transferimos esse processo para o nosso relacionamento com as pessoas, e principalmente com Deus. Passamos a agir como consumidores religiosos, que buscam um lugar que satisfaça nossos desejos e um Deus que atenda a nossos pedidos. Queremos ser servidos em vez de servir, adorados em vez de adorar. Há algo errado nesse processo. Você é um consumidor ou um discípulo de Cristo?

Alguns fatores podem nos levar a ser consumidores de Cristo, e não seus discípulos. Um deles é o desejo de sentir-se bem o tempo todo. É comum ouvirmos pessoas falando que foram à igreja e se sentiram bem. Nada errado com isso; o problema é quando a igreja se torna um lugar exclusivamente terapêutico, em que se procuram alívio e bem-estar. Então, quando a pessoa não "sente" esse alívio e bem-estar, sai da igreja dizendo não ter gostado do culto. Isso não faz sentido; o culto é para Deus, não para as pessoas.

A busca por entretenimento é outro fator que nos torna consumidores de Cristo. Esse é um ramo de sucesso hoje. As pessoas pagam caro por opções de lazer e diversão. No entanto, se é verdade que Deus quer nos oferecer uma vida de alegria, também é fato que o prazer momentâneo do entretenimento não deve ser o nosso alvo no discipulado com Cristo. O discípulo não busca diversão, mas sim aprendizado.

Além disso, numa relação de consumo, ansiamos por ter nossas vontades sempre atendidas. Sim, Deus prometeu cuidar de nós, suprindo nossas necessidades, mas ele não fez o compromisso de satisfazer todas as nossas vontades, porque isso pode nos fazer mal. Quem disse: "Eu lhe darei tudo isto. [...] Basta ajoelhar-se e adorar-me" (Mt 4.19) foi o diabo, não Jesus. É um perigo querer estar no centro do mundo, à espera de que suas vontades sejam saciadas o tempo todo. Isso é postura de cliente e de consumidor, não de um discípulo.

O que Jesus nos ensina

Uma das primeiras ações de Jesus em seu ministério foi selecionar seus discípulos. Antes de realizar milagres e maravilhas, ele escolheu doze homens para acompanhá-lo. Ele entendia que parte importante de sua missão neste mundo consistia em estabelecer um modelo de vida e conduta para as pessoas a quem veio salvar. Para isso, precisava de gente que caminhasse com ele o tempo todo. Ele falava às multidões, mas valorizava o discipulado de seu pequeno grupo.

Para viver o discipulado, é preciso investir tempo. Jesus passou pelo menos três anos com seus discípulos. Não foi um programa rápido, de oito ou doze lições. O discípulo precisa caminhar junto, observar, escutar, aprender, imitar.

Jesus disse: "Se alguém quer ser meu seguidor, negue a si mesmo, tome sua cruz e siga-me" (Mt 16.24). Trata-se de uma mudança de perspectiva, de uma atitude de vitória contra o egoísmo. É deixar de buscar somente o próprio bem-estar, o entretenimento e a satisfação das vontades pessoais, a fim de olhar para o Mestre. Também é preciso um compromisso de missão, de serviço, de entrega total e de amor — isto é, de tomar a cruz. E, então, seguir a Cristo, ir para onde ele vai, mesmo que o destino seja a morte e a perseguição. Só assim se poderá viver a transformação que ele pode operar em cada um de nós.

O discípulo verdadeiro admira e ama seu mestre. Conhecer é requisito para o verdadeiro amor. Não podemos dizer que amamos o que não conhecemos. Quando queremos ser como Jesus, seu amor nos constrange e só conseguimos amar porque ele nos amou primeiro. Jesus nos dá a capacidade de reproduzir o seu amor por nós em nosso amor pelos outros.

Antes de ascender aos céus, o desafio final que lançou foi para que seus seguidores fizessem outros seguidores. Somos chamados para viver e reproduzir o discipulado: "Portanto, vão e façam discípulos" (Mt 28.19).

Foi o que Jesus fez. Vamos ser como ele?

ORAÇÃO

Querido Senhor, reconheço que este mundo tenta constantemente me moldar para ser uma consumidora em todas as áreas da vida. Contudo, em meu relacionamento contigo, não quero agir como cliente, quero ser tua discípula. Ajuda-me a caminhar contigo e a imitar teus passos. Que eu possa viver teu discipulado. Amém!

PARA REFLETIR

1. Quais seriam as principais características de um "consumidor" espiritual?
2. Pense nas últimas vezes em que você esteve em um culto congregacional. Seu alvo era sentir-se bem ou adorar a Deus?
3. Como você pode aperfeiçoar sua jornada de discipulado cristão, sendo discípulo e fazendo discípulos?

8

Promover alegria

Promover é proporcionar, causar, gerar, viabilizar, impulsionar, estimular algo.
Alegria é um sentimento de contentamento que geralmente se manifesta em sinais exteriores. Uma felicidade, júbilo, regozijo. O oposto da tristeza. Um acontecimento feliz, divertimento, festa.

Provérbio: "Barriga vazia não conhece alegria". Será?

Alegria é uma emoção mais que bem-vinda. Ela nos energiza, nos motiva, nos faz querer viver e realizar novas coisas. Mas do que depende a nossa alegria? Estar com as necessidades básicas supridas parece ser o primeiro requisito. Ao mesmo tempo, o mundo nos leva a pensar que às vezes a alegria de uns é a tristeza de outros.

Alguns fatores podem comprometer a alegria, e o primeiro e talvez o principal deles é a escassez. Como se alegrar tendo de lidar com falta de comida, de vestes, de um teto sob o qual descansar? Quando falta o básico para a sobrevivência, é difícil encontrar razão para se alegrar.

Outro fator é a frustração. Somos seres cheios de expectativas. Todavia, quanto mais expectativa, maior a possibilidade de frustração. Quando achamos que o outro nos deve algo, ou quando esperamos reconhecimento por algo que fizemos, ou quando acreditamos que teremos sucesso em alguma empreitada, ou quando confiamos no suporte de outra pessoa e nada disso se confirma, a decepção nos priva da alegria.

As enfermidades constituem outro fator importante. Fragilidades físicas ou emocionais podem tirar o sorriso do rosto. Dores, irritações, incômodos, perturbações, angústia, ansiedade e depressão trazem desânimo e tristeza. As opções de tratamento nem sempre são possíveis, viáveis ou agradáveis.

Diante de tudo isso, precisamos olhar para Cristo para encontrar a verdadeira fonte de alegria, a fim de que sejamos reabastecidos e possamos, assim, promover alegria também na vida de outras pessoas.

O que Jesus nos ensina

Jesus inaugura seu ministério numa ocasião festiva: um casamento em Caná da Galileia (Jo 2.1-12). Naquela cultura e época, o casamento significava muito mais que a união de duas pessoas. Era a união de uma comunidade, o marco de uma próxima geração. O casamento trazia segurança social e, por isso, a cerimônia era uma festividade pública.

No caso em questão, provavelmente algum dos noivos era da família de Maria, a mãe de Jesus. Assim, ela o apresenta aos responsáveis pela festa como alguém que poderia resolver o problema que havia surgido: a escassez do vinho.

Antes de mais nada, precisamos entender que aquela cultura lidava seriamente com questões de vergonha e honra. E, ao contrário da visão ocidental individualista de hoje, tratava-se de uma cultura comunitária, em que os problemas de um eram problemas de todos, assim como a alegria daquele casal era a alegria de toda a comunidade. Por isso, era imprescindível prestar socorro naquele momento. Ficar sem vinho seria um problema grave, uma desgraça social, um constrangimento sem igual e o fim da festa. Aliás, há um ditado judaico que diz: "Sem vinho não há alegria".

Stênio Marcius escreveu uma canção chamada "O amigo da festa", na qual apresenta uma versão poética do relato do milagre de Jesus nas bodas de Caná. A canção começa descrevendo a festa e o problema:

> Dia de festa, dança e sorriso, hoje vai ter casamento bonito.
> Jesus também foi convidado, vai muito bem arrumado;
> Leva presente com alegria, feito na carpintaria.
> A decoração está uma beleza, muita delícia e fartura na mesa;
> O noivo está emocionado, parece tão deslumbrado;
> Nunca se viu noiva tão bela, de branco está mais singela.
> Mas de repente o que aconteceu, quase ninguém percebeu.
> O pai da menina, desesperado, leva a mão no rosto, semblante pesado;
> Olhou para a filha dançando risonha,
> Pensou no vexame, tristeza e vergonha;
> O vinho acabou; coitados, Senhor!
> Será que o sorriso, será que os sonhos,
> Será que esta festa tão linda acabou?

Depois de expor a gravidade da situação, a canção responde:

> Jesus, o amigo dos noivos; Jesus, o amigo dos sonhos;
> Jesus, o amigo da festa, o amigo da vida estava ali.
> Mandou encher as talhas com água, e ao servir as taças a água mudara
> No vinho mais raro que alguém já provara.
> Não parem a música,
> O amigo da festa mandou!

Jesus promoveu alegria! Contou com a colaboração dos servos, que o atenderam prontamente. É um privilégio participar dos milagres do Mestre. Eles encheram as talhas para a purificação cerimonial, um símbolo da limpeza física apontando para a necessidade espiritual. Jesus fez o melhor vinho. A água da vida entregue para nos dar alegria. Ele é a fonte de alegria!

Estamos todos sujeitos a períodos de escassez. Não conseguiremos viver uma vida livre de frustrações, e as enfermidades podem bater à porta de qualquer um. Em todos os momentos, mas especialmente nesses, temos de nos lembrar de nossa dependência da providência divina. Então, devemos dizer como o profeta Habacuque:

> Ainda que a figueira não floresça
> e não haja frutos nas videiras,
> ainda que a colheita de azeitonas não dê em nada
> e os campos fiquem vazios e improdutivos,
> ainda que os rebanhos morram nos campos
> e os currais fiquem vazios,
> mesmo assim me alegrarei no Senhor;
> exultarei no Deus da minha salvação!
>
> Habacuque 3.17-18

É uma declaração belíssima e admirável, a do profeta. Mas não é algo que ocorre naturalmente. Exige prática e devoção, entrega e confiança. Jesus estava lá com os noivos, com a comunidade em festa. O Espírito Santo está aqui, conosco. Recorramos a ele, portanto, para promover alegria em cada momento da vida, a fim de que, a exemplo de Jesus, levemos alegria à vida e à festa dos outros.

Vamos ser como Jesus?

ORAÇÃO

Querido Pai, como é bom lembrar que és o dono da festa! Tua Palavra nos mostra que tu nos prometes repetidamente banquetes e alegria. Reconheço que em muitos momentos eu olho apenas para as circunstâncias e perco o sorriso. Mas quero voltar a me alegrar em ti a cada amanhecer. Dependo do teu auxílio e da tua capacitação. Encha-me da tua alegria e transborde-a de mim, para que outros possam celebrar a ti. Em nome de Jesus eu oro. Amém!

PARA REFLETIR

1. O que tem roubado sua alegria ultimamente?
2. Algumas pessoas afirmam que a vida dos cristãos é triste, sem diversão. Como Jesus demonstra se importar com nossa alegria?
3. Como você pode ser canal de alegria na vida de outras pessoas nesta semana?

9

Esvaziar-se de si mesmo

Esvaziar é tornar algo vazio. Um ato de descarregar, desocupar, esgotar, despejar. Envolve um ato de entrega total para ser aliviado. Não reter nada pessoal, visando ser preenchido por Cristo.

Provérbio: "Por fora bela viola, por dentro pão bolorento". Será?

O que de fato há dentro de cada um de nós? Muitas vezes, o que as pessoas veem quando olham para nossa vida não condiz com o que realmente somos. Às vezes aparentamos muita alegria e riso, mas o interior está corrompido ou entristecido. Falamos muito, prometemos, ostentamos, mas nem tudo é genuíno e sincero. Maquiamos um rosto festivo para disfarçar tudo de feio que pode haver dentro de nós.

Nas redes sociais, costumamos publicar as fotos mais belas, as viagens mais interessantes e os encontros mais especiais. À nossa volta nesse mundo virtual, só encontramos pessoas felizes e mostrando o que têm de melhor. Seria bom poder acreditar que toda aquela celebração é autêntica, mas a verdade é que nem todo sorriso virtual reflete um coração realmente feliz.

Por que, afinal, procuramos encher os perfis com tanta imagem e pouca verdade? Por que buscamos tanta atenção? Sim, até há quem exponha suas tristezas, mas é de se perguntar se ali não se encontra outra forma mais sutil de simular os sentimentos a fim de obter o reconhecimento alheio.

Acredito que nos comportamos desse modo porque queremos ser alguém. A vida humana, terrena e material, apresenta alguns vazios, como a falta de valor próprio, de propósito e de amor. Nenhuma dessas carências é agradável. Para não ficar com essa lacuna e reconhecer as diversas faltas, há uma busca constante por ser preenchido. Sentir-se vazio é desesperador!

Não entender o próprio valor leva as pessoas a buscarem formas variadas de se sentir valorizadas. O sentimento de inferioridade, por exemplo, pode ser mascarado por arrogância, orgulho e imposição da própria vontade, como nos lembra Paul Tournier em seu livro *Os fortes e os fracos*. Não raro, os fortes são somente os que fingem ser imbatíveis, pois dentro de si também se sentem fracos. No fundo, nem os fortes nem os fracos conhecem o seu real valor.

O indivíduo que não consegue preencher o vazio interior costuma envolver-se em muitas atividades, iniciar diversos projetos, matricular-se em cursos os mais variados, e no entanto é muitas vezes incapaz de concluir qualquer um deles. Ou não consegue permanecer muito tempo num emprego, sempre à procura de novos e cada mais vez efêmeros estímulos, ou fica estagnado no mesmo lugar, sempre insatisfeito com sua posição e situação de vida. Nada lhe dá ânimo ou empolgação por muito tempo.

Por fim, quando a pessoa não é preenchida pelo amor de Deus, o único realmente capaz de saciar todas as nossas necessidades, ela pode cair em desilusão atrás de desilusão na busca por expressões exteriores de amor. O passo seguinte é a desconfiança generalizada, que resulta em egoísmo e ressentimento. Um triste caminho, mas Jesus nos lembra de que não precisa ser assim.

O que Jesus nos ensina

Jesus era o único que poderia se orgulhar de ser quem era. No entanto, ele esvaziou-se de si mesmo, abriu mão de suas prerrogativas divinas a fim de tornar-se ser humano, como cada um de nós. Não se apegou à sua glória celestial, mas escolheu, por amor, vir a este mundo de pecado e sofrimento, enchendo de si aqueles que nele cressem (Fp 2.5-11). Que dádiva maravilhosa se encontra à nossa disposição!

Além disso, Jesus não tinha crises de valor próprio. Ele sabia de onde vinha, conhecia sua origem e essência. Também tinha plena consciência de seu propósito, da missão que Deus lhe dera para realizar. "Pois desci do céu para fazer a vontade daquele que me enviou" (Jo 6.38).

No batismo de Jesus, Deus falou de tal modo que todos os que ali estavam puderam ouvir: "Este é meu filho amado, que me dá grande alegria" (Mt 3.17). Isso ficou claro para o povo, e também para o próprio Cristo. Esse amor é suficiente. Jesus não precisava ser preenchido pelo amor humano, limitado e falho.

O budismo é um exemplo de uma religião que prega o desprendimento de todo desejo. Há outros segmentos religiosos orientais com inclinação semelhante. O foco, então, é buscar um esvaziamento constante. O risco que se corre nesse caso é que a pessoa fique realmente vazia, o que significaria o fim de toda individualidade e identidade humana. Uma negação do indivíduo como imagem e semelhança de Deus.

Com Jesus, a proposta é outra. É esvaziar-se do que nos faz mal, é pôr fim diariamente à natureza pecaminosa que ainda habita em nós, a fim de que o Espírito de Deus nos encha e nos conduza a uma vida de santidade. Basta lembrar as palavras de Jesus: "Eu vim para lhes dar vida, uma vida plena, que satisfaz" (Jo 10.10).

Tendo esvaziado a si mesmo, Cristo serviu ao Pai e transformou o mundo. Ele jejuou, orou, curou, pregou, perdoou e salvou. Vamos ser como Jesus?

ORAÇÃO

Senhor Jesus, renova a convicção do meu propósito, do meu valor e do teu amor por mim. Não permitas que eu tente me manter cheia daquilo que não me completa. Esvazia-me de todo pecado e de todo sentimento egoísta e prejudicial, para que eu possa me encher de ti, carregando diariamente esse tesouro de inestimável valor, que me perdoa, me liberta e me santifica, para o louvor da tua glória. Amém!

PARA REFLETIR

1. Você tem clareza do seu valor e propósito para existir? Explique.
2. Do que você precisa se esvaziar? Pecados, sentimentos ruins, desejo de controle?
3. Que áreas você precisa que Jesus preencha para que sua vida possa glorificar a Deus?

10

Amar de verdade

Amar é ter amor a algo ou alguém. Amor consiste no desejo de aproximar-se e cuidar da pessoa pela qual se sente afeição. Pode ser um sentimento intenso de atração, de entusiasmo ou de grande interesse pelo outro.

Provérbio: "Falar é fácil, difícil é fazer". Será?

Quem não quer amar e ser amado? Mas, apesar de tão conhecido e usado, o verbo amar pode ter muitas interpretações. "Eu te amo" é uma frase dita com frequência pelo mundo afora; mas será que ela é realmente experimentada na prática? Já aconteceu de ouvir alguém lhe dizer que amava você muito embora não demonstrasse isso com atitudes concretas?

Vivemos em um mundo de muita falação e pouca ação. Nossas queixas, não raro, giram em torno dessa incoerência. Olhamos ao redor e percebemos que, apesar de expressões verbais de amor, filhos nem sempre obedecem aos pais, cônjuges nem sempre são fiéis e respeitosos uns com os outros, amigos se encondem na hora da necessidade. Então, surge a insegurança. Onde está o amor? Quem é que ama de verdade?

Acredito que alguns fatores nos impedem de praticar o amor de forma concreta. O primeiro deles é que talvez não tenhamos recebido amor de quem deveria ter nos amado. Pais ausentes, seja por dedicação excessiva ao trabalho, seja por puro abandono, e mães severas, que cobram demais mas demonstram pouca empatia com os sentimentos dos filhos, podem deixar uma impressão duradoura de que não existe amor neste mundo. Se os próprios genitores não me amaram, quem me amará?

O segundo fator é que, ainda que sejamos amados, não conseguimos reconhecer esse amor. Isto é, o modo como o outro nos ama não é percebido, por nós, como amor de fato. Muitos pais, por exemplo, acham que, por trabalharem muito e proverem o sustento da família, estão demonstrando concretamente seu amor pela família. Em seu famoso livro *As 5 linguagens do amor*, o dr. Gary Chapman desenvolveu a ideia de que existem cinco formas básicas de expressar amor e que podem ser aplicadas aos mais diversos relacionamentos: na vida conjugal, com as crianças, com os adolescentes, com os colegas de trabalho, e assim por diante. A tese é que cada pessoa se sente amada de acordo com uma linguagem predominante específica, e as outras linguagens vão se organizando de forma decrescente. Essas linguagens são: palavras de afirmação, presentes, atos de serviço, toque físico e tempo de qualidade. Em geral, demonstramos amor da forma como nos sentimos amados. Entretanto, nem sempre a pessoa que é alvo desse amor se sente amada com aquela linguagem. Assim, ela pode acabar interpretando que não há amor da parte do outro.

No meu caso, costumo dizer que aceito todas as linguagens de amor, mas tenho uma ordem que precisa ser respeitada. Sinto-me mais amada com atos de serviço e tempo de qualidade. No meu primeiro ano de casamento, meu marido comprava flores para mim todo dia 5, a fim de celebrar a data de nossa união matrimonial. Depois de alguns meses, precisei falar que não gostava tanto de buquês e que não precisava de presentes com tanta frequência. Preferia que ele lavasse a louça e estendesse a roupa no varal. Dessa forma, eu me sentiria mais amada. Ficou mais barato para ele, e também me alegrou mais. Ajudar-me nos meus afazeres e passar tempo comigo comunica amor ao meu coração mais do que receber presentes. É óbvio que gosto de ganhar presentes, que me alegro com elogios e que recebo com prazer um abraço carinhoso, mas se essas expressões de amor nunca vierem acompanhadas de colaboração no serviço e tempo de qualidade, não exercerão o mesmo peso em nosso relacionamento. Se não formos amados na linguagem que melhor entendemos o amor, teremos dificuldade para sentir esse amor e, consequentemente, para retribui-lo da forma devida.

O que Jesus nos ensina

Jesus é a fonte de amor verdadeiro. O amor é parte essencial da natureza divina. Um dos versículos mais conhecidos da Bíblia é João 3.16, em que Jesus diz a um mestre religioso de seu tempo: "Porque Deus amou tanto o mundo que deu seu Filho único, para que todo o que nele crer não pereça, mas tenha a vida eterna".

Ainda me surpreende que algumas pessoas insistam em criticar Jesus. Alguém que só amou, serviu e acolheu todo tipo de gente deveria ser sempre louvado e estimado. Mas ele foi desde sempre incompreendido, até mesmo por seus seguidores mais próximos. Um exemplo disso é Pedro. Esse discípulo ousado e impetuoso reconheceu Jesus como Messias, o Cristo enviado por Deus (Lc 9.18-20). Foi um dos poucos privilegiados a testemunhar a transfiguração de Jesus, um momento de grande glória (Mt 17.1-9). Às vezes ele exagerava nas emoções, mas era sincero em relação a elas. A princípio, não queria que Jesus lavasse seus pés, mas ao entender a profundidade do ato, decidiu que queria todo o seu corpo lavado (Jo 13.8-9). Chegou a dizer que morreria por Jesus, e não parece ter dito isso com falsidade. Naquele momento ele realmente se via capaz de fazê-lo. Não à toa, decepou a orelha de um soldado com o intuito de defender seu Mestre (Jo 18.10-11). Entretanto, quando Jesus já estava a caminho da cruz, Pedro retrocedeu. Seu amor falhou. Ele negou Jesus — não uma, nem duas, mas três vezes (Lc 24.54-62).

Como você agiria se tivesse um amigo assim? Costumamos julgar as pessoas pelo seu pior momento. Pedro escorregou, mas ele era muito mais que aquele erro. A verdade é que todos nós já falhamos com alguém em algum momento de nossa vida.

Jesus nos oferece perdão e nos capacita a amar de verdade. Após sua ressurreição, ele faz questão de encontrar Pedro. Quando as mulheres chegam ao túmulo de Jesus, o jovem vestido de branco diz a elas: "Agora vão e digam aos discípulos, incluindo Pedro, que Jesus vai adiante deles à Galileia" (Mc 16.7). O nome de Pedro é destacado, pois, se o convite tivesse sido feito só para os discípulos em geral, talvez ele não quisesse ir ao encontro de Jesus, envergonhado de sua traição. Mas Jesus não desistiu de amá-lo e queria mostrar que Pedro era capaz de amar de verdade.

Após uma refeição com os discípulos, Jesus se dirige a Pedro e questiona seu amor. Pedro responde duas vezes que o ama. Visto que Jesus, apesar das respostas positivas, faz a mesma pergunta pela terceira vez, Pedro conclui que Jesus sabia de todas as coisas e conhecia o seu amor. Ali houve confissão, arrependimento, perdão e restauração. Jesus o amou e o comissionou para cuidar de suas ovelhas. Jesus mostrou que Pedro era digno de confiança (Jo 21.15-17).

Só amamos porque ele nos amou primeiro. De fato e de verdade. Não da boca para fora. O amor tem de gerar ação: mais consagração, entrega, serviço e proclamação. Jesus nos legou um novo mandamento: "Assim como eu os amei, vocês devem amar uns aos outros" (Jo 13.35). Vamos ser como Jesus?

ORAÇÃO

Querido Deus, eu sei que tu me amas, mas, ao longo da minha história, nem sempre entendi o amor com a devida clareza. Pessoas falharam em me amar, e eu também já falhei em amá-las. Clamo para que teu amor inunde a minha vida a cada amanhecer, e que, ao ser preenchida por ele, eu seja capacitada a amar de verdade, a ti e ao meu próximo. Amém!

PARA REFLETIR

1. Você já teve dificuldade para se sentir amado? A que isso se deve, em sua opinião?
2. Você sabe qual é sua linguagem de amor? E a linguagem de amor de seus familiares e amigos próximos?
3. O que você precisa fazer para amar os outros de verdade, como Jesus nos amou?

11

Orar ao Pai

Orar é discursar, falar, pedir, rogar. Diálogo com o Ser Supremo. Uma comunicação do finito com o infinito.

Pai é aquele que tem ou teve filhos; genitor, criador, autor. Responsável pela criação. Protetor, benfeitor.

Provérbio: "Deus é Pai, não é padrasto". Será?

No ambiente escolar, acadêmico, "orador" refere-se à pessoa escolhida para trazer uma palavra especial em um evento importante, como uma formatura. Ele prepara um discurso e o profere diante da plateia. Em geral, faz uma retrospectiva do curso compartilhado pela turma, fala coisas engraçadas e profundas, há aplausos, e então ele retorna ao seu lugar.

Quando falamos em orar ao Pai, trata-se de outro tipo de fala. Não é um discurso, mas um diálogo. É um modo de aproximar-se de Deus, o Pai que verdadeiramente nos gerou e nos criou, o verdadeiro Autor da vida. É colocar-se na presença dele, abrir o coração para ele, entregar-se em suas mãos, sabendo que ele escuta, entende e se importa.

Orar é prestar atenção a Deus. É uma ação humana, mas ao mesmo tempo é algo sobrenatural. Timothy Keller falou da oração como a junção de um deslumbre diante de uma força infinita e uma intimidade com um amigo pessoal. Um desafio, um dever e um prazer. Martinho Lutero dizia que "a oração é o suor da alma", uma forma de extravasar o que há dentro de nós.

No início da criação, Adão e Eva não oravam. Deus conversava com eles face a face, mas a queda rompeu essa comunicação. A partir de então, a humanidade se viu afastada do contato direto com Deus, mas agora, após o sacrifício de Cristo na cruz, que nos reconciliou novamente com o Pai, podemos ter acesso a ele em oração.

Orar, portanto, é um privilégio maravilhoso, mas o fato é que, em geral, as pessoas oram pouco, inclusive os cristãos.

Não é fácil orar porque a oração exige pausa. Vivemos em um mundo sempre em movimento. Sempre há algo para fazer. Orar não é fazer. É ser, é estar. É colocar-se na presença do Pai. Os especialistas dizem que a nossa é uma época de pensamento acelerado e ansioso. Quantas vezes a gente começa a orar e logo se esquece de que estava orando, passando a pensar em outras coisas? A cabeça foge, surgem lembranças, preocupações, inquietações. Concentrar-se para orar é, também, uma forma de combater as distrações e focar-se em Deus.

Também não é fácil orar porque a oração requer esforço e disciplina. O pastor John Piper disse que "uma das maiores utilidades do Twitter e do Facebook será provar no último dia que a falta de oração não era por falta de tempo". O *smartphone* e as redes sociais são, de fato, caminhos fáceis de distração. O mundo virtual nos rouba o tempo. Escolher ausentar-se desse ambiente e falar com Deus exige real compromisso e disciplina verdadeira. Cada um tem de envidar esforços para aproximar-se de Deus em oração. Ele também se aproxima e se inclina para nos ouvir, mas há passos que nós devemos dar.

Finalmente, não é fácil orar porque a oração requer perseverança. Numa era em que predomina o serviço por *delivery*, em que alimentos, roupas e outros objetos de consumo chegam à nossa casa com toda comodidade bastando um simples clique, a oração parece algo muito demorado, quase ultrapassado. A "entrega do pedido" nem sempre acontece no tempo que desejamos. Orar, contudo, exige perseverança, pois na maioria das vezes a resposta não será nem imediata nem plenamente reconhecível. É preciso persistir no clamor e, em nossa sociedade habituada ao mundo de consumo, nem todos estão dispostos a isso.

O que Jesus nos ensina

Jesus demonstra alegria em falar com seu Pai no céu. Ele apontou como a oração deve nos impelir a desejar, antes e acima de qualquer coisa, estar com Deus.

A carta aos Hebreus diz que, ainda hoje, Jesus "vive sempre para interceder em favor" dos seus (Hb 7.25). E foi o que ele fez recorrentemente em seu ministério neste mundo. Em João 17, está registrada uma longa conversa que ele teve com o Pai, pedindo a glorificação de Deus através de sua vida e também o cuidado divino sobre os seus discípulos. Pede proteção em meio aos perigos do mundo e capacitação para que vençam as adversidades. Conclui clamando por unidade entre os discípulos e dos discípulos para com ele. Precisamos ter o mesmo clamor.

No Getsêmani, Jesus orou tomado de angústia. Ali, fez a oração mais sincera e dolorosa que alguém poderia fazer em um momento de profunda dor e sofrimento. Ele suplicou por livramento, por escape. Também exortou seus discípulos a entenderem que a oração é essencial para que não caíssem em tentação. Jesus desejava evitar, se possível, aquele cálice de morte que o separaria do Pai. Entretanto, em oração ele declarou aceitar a vontade de Deus e ser obediente até o fim (Mt 26.36-45).

Quando os discípulos lhe pediram que os ensinasse a orar, Jesus disse que oração era intimidade. Deveria acontecer no quarto secreto, para não ser motivo de exaltação diante das pessoas. Também disse que não poderia ser hipocrisia, tinha de ser um diálogo sincero, visto que o Pai no céu conhece o coração humano. Afirmou ainda que eles não deveriam se apegar a repetições, pois não é o muito falar que nos faz sermos ouvidos por Deus (Mt 6.5-8).

Na tão conhecida Oração do Pai Nosso, Deus nos é apresentado em primeiro lugar como Pai, o *nosso* Pai. Travamos com ele uma relação de intimidade, familiar, mais profunda do que a que poderíamos ter com qualquer pai neste nosso mundo pecaminoso. Ao mesmo tempo, Jesus também nos ensina que Deus está num nível superior e que precisa ser santificado, glorificado, entronizado e honrado. Nessa oração, clamamos pela vinda do reino dos céus. Significa que nos dispomos a ser súditos do Rei. Ele já chegou, já se estabeleceu, embora ainda não de forma completa. Também clamamos pela vontade do Pai, a fim de que ela se cumpra em nossa vida. Aprendemos também sobre suficiência e provisão. A cada dia o Pai amoroso nos provê o pão. Ele nos perdoa, e também nos impele a perdoar. Nessa oração, clamamos ainda por livramento da tentação e do mal, e declaramos que dele, o Pai, é o reino, o poder e a glória para sempre, e que assim seja (Mt 6.9-13)!

Os salmos também são lindas expressões de oração. É o coração humano desnudado diante do Deus que deseja ouvir. Podemos nos inspirar e nos identificar com os clamores dos salmistas. Podemos fazer dos salmos as nossas orações. Orar também é uma forma de extravasar, de pôr os sentimentos na devida perspectiva. Orar nos ajuda a chegar mais perto de Deus. É um ato de entrega e confiança.

O conteúdo da oração pode incluir confissão de pecados e angústias, louvores de gratidão e alegria. Pode incluir petições para nós mesmos e para os outros. No Sermão do Monte, Jesus disse: "Peçam, e receberão. Procurem, e encontrarão. Batam, e a porta lhes será aberta. Pois todos os que pedem, recebem. Todos que procuram, encontram. E, para todos que batem, a porta é aberta" (Mt 7.7-8). Isso requer determinação, compromisso e perseverança. Deus não nos deixa sem resposta. Às vezes, não é o que queremos ouvir, mas ele sempre responde.

Vale a pena orar. É algo que nos aproxima de Deus, nos acalma o coração e nos dá nova perspectiva a respeito da vida. Precisamos orar continuamente, como nos exortou o apóstolo Paulo (1Ts 5.17). Mesmo as tarefas domésticas mais rotineiras podem ser transformadas em poderosos momentos de oração. A oração nos muda e nos capacita a mudar as coisas. A companhia de Deus é nosso bem maior.

Jesus amava falar e estar com o Pai. Vamos ser como Jesus?

ORAÇÃO

Senhor, sei que vivo em um mundo que me distrai e me estimula a querer ser atendida sempre e instantaneamente. Peço que tu me ensines a orar e a desejar esse diálogo contigo, em tua presença. Quero abrir o coração inteiramente e deixar que tu fales comigo. Estou diante de ti, Pai; achega-te a mim. Em nome de Jesus eu oro. Amém!

PARA REFLETIR

1. Quais são seus maiores desafios para reservar tempo para a oração?
2. Qual tem sido o conteúdo de sua oração? Há algo que precisa mudar?
3. Qual das orações de Jesus registradas na Bíblia mais toca o seu coração? Por quê?

12

Ser humilde nos relacionamentos

Ser humilde é ser simples e modesto. Aquele que tem humildade, que é capaz de reconhecer os próprios erros, defeitos ou limitações. Envolve demonstração de respeito, submissão. A ausência de luxo ou sofisticação, o oposto da ostentação, pois busca simplicidade e sobriedade.

Provérbio: "Presunção e água benta cada qual toma a que quer". Será?

Às vezes ouço uma pessoa dizendo: "Você está se achando", ao que o outro, em tom de brincadeira, responde: "Eu não me acho, eu sou!". A primeira afirmação envolve a percepção de um comportamento arrogante. Em geral, alguém que se porta de forma superior, que acredita ter habilidades ou posses que lhe conferem mais prestígio e valor que os demais à sua volta. O resultado é um comportamento de desdém em relação aos outros, bem distante da humildade.

A verdade é que fazemos comparações o tempo todo. Faz bem para nossa autoestima saber que superamos o outro. Isso nos causa orgulho. Então, começamos a realçar as falhas daqueles que estão à nossa volta, a fim de que as nossas supostas qualidades se destaquem ainda mais.

Em minha prática docente, deparo constantemente com

alunos querendo cuidar da vida dos colegas. Querem saber o que acontecerá com o outro que se comportou mal. Vejo-me repetindo com frequência que cada um deve cuidar do próprio comportamento. Se todos fizessem isso, o mundo seria muito melhor. Dentro de casa, observo isso no relacionamento entre os filhos. É fácil apontar os erros dos irmãos e denunciá-los aos pais. Isso parece fazer aquele que denunciou as falhas alheias se sentir em uma posição mais elevada.

Farei agora uma confissão pessoal. Quero compartilhar alguns momentos em que fui arrogante. Já fui orgulhosa por ser estudiosa. Sim, eu amo estudar, pesquisar, aprender, descobrir. A atividade intelectual me traz alegria, motivação e prazer. Amo ler a Bíblia, ouvir pregações, palestras e estudos. Na adolescência, fiz muitos cursos: datilografia, inglês, espanhol, francês, secretariado, corte e costura, informática, libras, missões, etc. O problema não era ser estudiosa — o que, continuo acreditando, é algo bom em si mesmo. Era começar a me sentir superior e criticar as pessoas que usavam demais as redes virtuais ou que ficavam no celular ou no *video game* por muito tempo. Acusava-os de utilizarem esses meios como uma fuga fútil e inútil. Quanto a mim, eu acreditava que fazia uso produtivo do meu tempo. Até que percebi que também tinha minhas fugas. Fugia nos livros. Sempre carregava um comigo e me ausentava do mundo real para o mundo da leitura em filas, salas de espera ou em qualquer outro lugar. Precisei entender que não era superior a ninguém por gostar tanto de estudar. Essa é uma paixão minha, mas cada um tem a sua, e não tenho o direito de julgar.

Também já me senti orgulhosa por não ser vaidosa ou consumista. Quantas vezes tive orgulho de preferir uma vida simples e rejeitar as grandes marcas e grifes famosas! Parece contraditório, mas preciso vigiar para não ficar vaidosa por não ser muito vaidosa nem consumista. Realmente não tenho empolgação para fazer compras. Cansa-me e não gosto de acumulação. Então, fica fácil julgar quem gasta, compra e investe no cuidado da aparência. Agora estou consciente de que não sou melhor do que ninguém por causa disso, e tenho plena consciência de que a vaidade pode se revelar de formas variadas, até mesmo as mais sutis.

Já me senti orgulhosa por não ter vícios ou compulsões. Será que não os tenho mesmo? Quando pensamos em vícios, o que nos vêm à mente são coisas ilícitas, imorais ou claramente nocivas, sobretudo para a saúde. Entretanto, podemos ficar dependentes e desenvolver compulsões em áreas diversas. Nunca fumei, nem bebi, nem usei drogas, mas a comida tem sido uma área de fragilidade para mim. Há épocas em que como sem parar. Estabeleço alvos, não consigo cumpri-los, e minha alimentação desanda de vez. Atualmente, noto que tenho usado o WhatsApp com uma frequência desmedida. Assim, tenho procurado tomar algumas medidas para atacar esse vício, como não utilizar o celular aos domingos. É um exercício de desprendimento, e também serve para fortalecer meu descanso e minha adoração a Deus. Mas é uma luta.

O que Jesus nos ensina

É sempre mais fácil olhar para os problemas do outro do que analisar aquilo que se passa em nosso íntimo. Acontece que a vida cristã nem sempre opta pelo caminho mais fácil.

No Sermão do Monte, Jesus nos alertou de que precisamos primeiro tirar a trave do nosso olho antes de tentar remover o cisco do outro (Mt 7.1-5). Que lição! Com certeza há momentos em que o outro nos incomoda, nos atrapalha e nos irrita, mas

Jesus nos desafia a entender que todos nós pecamos, cada um à sua maneira.

Quando alguém compartilha conosco uma frustração a nosso respeito, a tendência é querermos contra-atacar, apontar os erros do outro e levantar uma defesa pessoal. Nesses casos, é libertador olhar para o lado e colocar-se no mesmo nível, vendo no outro o que também há em nós: uma natureza falha, que depende da iluminação de Deus para conseguir se superar e se aperfeiçoar. O apóstolo João disse que, se vivemos na luz, como Deus está na luz, conseguimos viver em comunhão uns com os outros, porque é o próprio Jesus, através de seu sangue, que nos purifica de todo o pecado (1Jo 1.7). Todos carecemos de Deus.

O apóstolo Pedro, por sua vez, disse que precisamos nos revestir de humildade no relacionamento uns com os outros, porque "Deus se opõe aos orgulhosos, mas concede graça aos humildes" (1Pe 5.5). A liberdade que Jesus conquistou para nós na cruz deve ser usada para servirmos uns aos outros em amor (Gl 5.13). O chamado de Deus é para que abandonemos o egoísmo, as críticas e os julgamentos, e vivamos em humildade, considerando os outros mais importantes que nós (Fp 2.3). Acima de tudo, devemos amar uns aos outros, pois o amor cobre muitos pecados (1Pe 4.8). Tudo isso com humildade e confiança, pois sabemos que os humildes "herdarão a terra" (Mt 5.5).

Jesus conseguiu. Ele disse que também conseguiríamos. Vamos ser como Jesus?

ORAÇÃO

Senhor, reconheço que às vezes julgo demais as pessoas. Posso nem sempre estar consciente, mas procuro identificar os erros dos outros a fim de me sentir um pouco melhor comigo mesma. Por favor, tira isso de mim. Ajuda-me a enxergar a trave do meu olho para que eu tenha compaixão do cisco no olho do meu irmão. Que eu me enxergue como mais uma pessoa dependente da tua compaixão e misericórdia. Assim, poderei desenvolver relacionamentos saudáveis, que te honram. Oro em nome de Jesus. Amém!

PARA REFLETIR

1. Pense em situações em que você "se achou", isto é, em que se portou de modo arrogante. Com que frequência isso ocorre?
2. Quais são as traves que precisam ser removidas de seus olhos?
3. Que medidas você pode tomar para buscar enxergar o valor e a beleza do outro a fim de ser humilde em seus relacionamentos?

13
Ser cordeiro e leão

Cordeiro é o filhote da ovelha e do carneiro. No imaginário bíblico, ele é uma oferta sacrificial a Deus. É tido como um animal manso, dócil e humilde.

Leão é o rei da selva. O topo da cadeia alimentar. É tido como um animal forte, feroz, ágil, protetor e fiel.

Provérbio: "Um dia é da caça, outro do caçador". Será?

No mundo animal, o leão é o ser mais temido e respeitado. Ele se impõe pela força, pela rapidez e pelos rugidos. Quando dizemos que "é preciso matar um leão por dia", estamos indicando a existência de um grande desafio diário que exige esforços árduos para ser vencido. Talvez o desafio seja financeiro, obrigando-nos a trabalhar e atingir metas a fim de garantir a subsistência. Quem sabe seja nos relacionamentos: um casamento difícil em que o diálogo e o entendimento mútuo não são alcançados com naturalidade, a criação de filhos que se torna fatigante e frustrante ou o desafio do convívio com a família extensa, cheia de cicatrizes e mágoas. Pode ser ainda uma questão de saúde causando dor e aflições constantes. Enfim, "cada um sabe a dor e a delícia de ser o que é", dizia um cantor popular brasileiro. A figura do leão é, então, evocada, pois ele representa uma força difícil de ser vencida.

Já o cordeiro nos remete a gentileza, passividade, obediência, amabilidade. Ele não costuma andar com leões. São de espécies diferentes. Habitam em áreas distintas e não buscam os mesmos alimentos. Como conciliar um cordeiro e um leão? De que forma eles poderiam caminhar juntos ou se completar em uma mesma pessoa?

O mundo atual nos estimula a ser fortes como o leão. A cultura ao redor propaga a mensagem de que é preciso vencer no mundo e vencer na vida — e são os mais fortes os que vencem. Até o livro de Provérbios destaca a força do leão, dizendo que ele é o rei dos animais e que "não abre caminho para ninguém" (Pv 30.30). Hoje em dia, para sobreviver na selva lá fora, o indivíduo tem de ser forte, tem de ser leão.

O mundo atual também nos estimula a ser rápidos como o leão. A tecnologia avança constantemente, sem tréguas. A sensação é de que é necessário correr até para ficar no mesmo lugar, porque se alguém fica parado na verdade está andando para trás. O próprio universo está em movimento. Chegar primeiro é importante, nem que para isso seja preciso derrubar outros pelo caminho. A pessoa tem de ser rápida, tem de ser leão.

O mundo atual também nos estimula a ser barulhentos como o leão. Para se afirmar na sociedade, o indivíduo entende que é preciso exibir seus talentos, gritar suas ideias, chamar a atenção, fazer barulho sobre suas habilidades e conquistas — e, é claro, publicar tudo isso nas redes sociais. Todo mundo precisa nos ver e nos ouvir, a fim de que sejamos admirados e temidos. O profeta Amós relaciona o rugido do leão com o pavor gerado nas pessoas: "O leão rugiu, quem não temerá?" (Am 3.8). Faça barulho, seja leão!

A imagem de um cordeiro, por sua vez, pode apontar para fraqueza e covardia. Essa, aliás, foi a acusação que o filósofo

Friedrich Nietzsche fez ao cristianismo: a de que se tratava de uma religião de fracos, covardes e perdedores. Como seria um mundo só de leões? Selvagem, perigoso, competitivo. O que Jesus pensaria a esse respeito?

O que Jesus nos ensina

Jesus foi, surpreendemente, a junção do cordeiro e do leão! João Batista, ao avistar Jesus vindo ao seu encontro para ser batizado, declarou: "Vejam! É o Cordeiro de Deus, que tira o pecado do mundo!" (Jo 1.29). Com isso, remeteu ao aspecto sacrificial que o cordeiro tinha no imaginário judaico de sua época. Todavia, mesmo sendo um cordeiro, Jesus nunca foi fraco, covarde ou perdedor. Ele não foi capturado, mas se entregou espontaneamente, a fim de cumprir a vontade do Pai (Jo 10.17-18). Ele também incentivou seus seguidores a serem cordeiros, dizendo: "Agora vão e lembrem-se de que eu os envio como cordeiros no meio de lobos" (Lc 10.3).

O mundo precisa de gentileza, amabilidade e mansidão. Jesus foi tudo isso. Ele amou as pessoas, acolheu os necessitados, curou suas dores e enfermidades, e como ponto culminante de sua obra neste mundo entregou-se como sacrifício na cruz, a fim de pagar a pena por nossos pecados. E esse modo de ser, semelhante a um cordeiro, deve continuar a se refletir na vida de seus seguidores, por mais perigoso que seja o mundo à nossa volta.

Todavia, o Cordeiro de Deus tinha a força de um leão. Se é verdade que em sua morte ele entregou-se de forma pacífica e singela, também é fato que ressuscitou gloriosamente, como o Leão da tribo de Judá! Há um ditado que diz que para tudo há solução, exceto para a morte. Jesus contraria esse senso comum e mostra que ele é capaz de vencer até um inimigo tão implacável feito a morte. Triunfa sobre o que parece sem solução, porque é forte como um leão! Sua vitória definitiva é confirmada no livro de Apocalipse, quando, na visão de João, temos o registro de que um dos anciãos se dirige ao apóstolo para consolá-lo, dizendo: "Não chore! Veja, o Leão da tribo de Judá, o herdeiro do trono de Davi, conquistou a vitória" (Ap 5.5).

Jesus é completo. Já venceu e vencerá novamente. "Juntos, guerrearão contra o Cordeiro, mas o Cordeiro os derrotará, pois é Senhor dos senhores e Rei dos reis. E com ele estarão seus chamados, escolhidos e fiéis" (Ap 17.14). Não existe outro cordeiro com o poder de um leão!

Jesus nos convida a sermos como ele. Mansos, humildes e amáveis, mas também fortes, intrépidos e vencedores. Vamos ser como Jesus?

ORAÇÃO

Senhor, em muitos momentos tenho medo, e às vezes me torno passiva e até omissa. Há momentos, contudo, em que sou impetuosa, agressiva e barulhenta. Ajuda-me a ter as melhores características do cordeiro e do leão. Que eu seja humilde e mansa, e também forte e destemida. Que eu lute bravamente contra o mal e busque compartilhar gentilmente o amor de Jesus com todos ao meu redor. Amém!

PARA REFLETIR

1. Você identifica em si fraquezas que são semelhantes às características de um cordeiro?
2. Você geralmente apresenta mais as características positivas ou negativas de um leão?
3. Que áreas precisam ser trabalhadas em sua vida para que você seja mais como Jesus foi, cordeiro e leão?

14
Ver além da própria dor

Dor é uma sensação penosa, desagradável, produzida pela excitação de terminações nervosas sensíveis a esses estímulos. Envolvendo sentimentos, pode ser uma mágoa originada por desgostos do espírito ou do coração; um sentimento causado por decepção, desgraça, sofrimento ou pela morte de um ente querido.

Provérbio: "O machado esquece, mas a árvore recorda". Será?

Dor é algo que se sente na pele. Quando outra pessoa machuca o pé, posso até entender que ela se machucou, mas não consigo realmente sentir aquela dor. Só sinto o que acontece no meu pé. Já vi desenhos engraçados ilustrando isso. Uma escova de dente dizia ao papel higiênico que achava que tinha o pior trabalho do mundo. E o papel higiênico, surpreso, respondia: "Sério?". Outro desenho mostrava um rapaz com um longo pescoço, totalmente curvado para enxergar o próprio umbigo, dizendo: "Eu não sou egoísta".

Por mais que o instinto de autopreservação seja natural, humano e até necessário para valorizarmos a vida, não podemos enxergar só as nossas necessidades. O bebê acha que o mundo gira em torno dele, mas precisa crescer e aprender que há bilhões de pessoas no mundo e que cada uma delas tem as próprias necessidades e as próprias dores. Às vezes parece que alguns adultos não superaram essa fase. Jesus, então, aparece para nos ajudar a enxergar as coisas de forma mais saudável e abrangente.

Quando vejo apenas a minha dor, ela dói mais, pois tudo o que ganha nossa atenção cresce em nossa percepção. Assim, quanto mais olhamos para a própria dor, mais intensa ela fica. O foco faz a diferença. Aquilo vira o centro da minha emoção, da minha preocupação, do meu cuidado. A dor então se expande, lateja, coça e, de fato, incomoda.

Esse foco na própria dor desequilibra o peso dos problemas. As questões pessoais tornam-se desproporcionais a tudo o mais. As grandes questões mundiais (ou mesmo da pessoa ao meu lado) já não me importam, pois as minhas circunstâncias ocupam todo o espaço, sufocando-me e arrasando-me. Muitas pessoas sofrem porque não têm as vontades saciadas ou por enxergarem tantos defeitos na família, no emprego, nas amizades. Tudo na vida delas é grande, pesado, sofrido e dramático demais.

Lembro que certa vez cheguei à reunião de mulheres da igreja com o coração apertado e entristecido por causa de alguns conflitos na educação dos meus filhos. Sentia-me angustiada e preocupada. Queria lamentar meus problemas, encontrar a compaixão das companheiras e pedir oração. Depois de ouvir outras petições envolvendo situações financeiras graves, enfermidades devastadoras e casamentos quase desfeitos, percebi que meu problema não era assim tão grande. Saí comprometida a clamar por minhas irmãs e ser mais grata por minha família.

Esse encontro com o outro nos possibilita tirar o foco da própria aflição. E isso diminui a dor, equilibra o peso das adversidades, deixa-nos conscientes de que, a despeito das diferenças de cada caso, todos passamos por momentos de aflição.

No primeiro curso de casais que meu marido e eu ministramos, entregamos questionários para que cada pessoa avaliasse diferentes pontos de seu relacionamento conjugal. Uma esposa leu as respostas do marido e ficou indignada por ele ter dito que muitas vezes, quando ela estava falando, a mente dele divagava e ele não sabia mais de que assunto se tratava. Isso a feriu profundamente. Ela me ligou aborrecida, dizendo que suspeitava que aquilo acontecia, mas ler e confirmar havia sido doloroso. Na aula seguinte, quando outros casais compartilharam as respostas, ela percebeu que outros maridos também faziam a mesma coisa e que a sua história não era única. Quem sabe se tratasse de uma característica masculina recorrente, que sem dúvida poderia ser melhorada, mas que não configurava um descaso real em relação à esposa. Essa troca de experiências fez que aquela mulher entendesse que sua dor era comum, e isso foi vivificador para ela e para seu relacionamento conjugal.

O que Jesus nos ensina

Jesus nos ensina a ter empatia, que é a aptidão para se identificar com o outro, sentir o que ele sente, desejar o que ele deseja e aprender como ele aprende. Ele também nos deixou, como o maior mandamento, a seguinte instrução: "Ame o Senhor, seu Deus, de todo o seu coração, de toda a sua alma, de toda a sua mente e de todas as suas forças" (Mc 12.30). E, na sequência, disse: "O segundo é igualmente importante: 'Ame o seu próximo como a si mesmo'. Nenhum outro mandamento é maior que esses" (Mc 12.31).

Jesus não vivia apresentando às pessoas uma lista de suas dores particulares, embora as tivesse, e muitas. Ele poderia se lamentar por ter nascido em uma estrebaria e ter sido colocado em uma manjedoura. Poderia se queixar das tentações que sofreu no deserto, em meio a quarenta dias e quarenta noites de jejum. Poderia reclamar da instabilidade dos discípulos, da rejeição de seus conterrâneos de Nazaré, das calúnias, perseguições e planos de assassinato dos líderes religiosos. Poderia indignar-se com o julgamento injusto, com as chicotadas a caminho do calvário, com as traições de Judas e de Pedro.

Não foi assim que ele agiu. Ao contrário, em meio à dor que vivenciou na cruz ele clamou: "Pai, perdoa-lhes, pois não sabem o que fazem" (Lc 23.34).

Jesus teve empatia, compaixão, amor e desejo sincero de ver a transformação e restauração daqueles que o perseguiam. Ele via as pessoas com olhos divinos e profundos, para além das máscaras e aparências. Via nelas a imagem e semelhança de Deus. Sua missão era salvar; a dor não poderia ser um impedimento para que ele fosse ao encontro do outro e o amasse.

É verdade que o apóstolo Paulo, por sua vez, chegou a elencar seu sofrimento aos crentes de Corinto. Relatou que havia trabalhado muito, que havia sido encarcerado, açoitado, golpeado com varas, apedrejado, jogado no mar e enfrentado perigos; que havia passado fome, sede e frio (2Co 11.23-33). Seu objetivo com esse relato, contudo, não era obter atenção nem piedade, mas abrir os olhos da igreja, pois aquelas pessoas estavam olhando somente para as próprias dores e não estavam conseguindo enxergar o sofrimento e a dedicação dos outros, como as do próprio Paulo.

Jesus enxergou além da própria dor, dando-se como sacrifício por quem não o merecia. E ele não foi um mero conhecedor da dor humana; fez questão de experimentá-la na própria carne. Contudo, superou sua dor e clamou pelo nosso perdão e reconciliação. Ah, quanto temos a aprender com ele! Vamos ser como Jesus?

ORAÇÃO

Pai querido, por vezes me vejo numa competição de sofrimento, na qual só enxergo e valorizo a minha própria dor em detrimento da dos outros. Ajuda-me a levantar a cabeça e a olhar para a minha volta. Ajuda-me a ouvir o sofrimento e a angústia das outras pessoas e assim ter compaixão delas, redimensionando meus problemas a fim de enfocar a necessidade alheia. Ajuda-me a agir como Jesus, superando minhas dores e compadecendo-me do próximo. É em nome dele que eu clamo. Amém!

PARA REFLETIR

1. Já aconteceu de você interromper alguém que estava compartilhando uma dor com você, a fim de que pudesse falar dos seus próprios problemas? Como você imagina que a outra pessoa se sentiu?
2. Pense em uma dor recente que alguém poderia considerar pequena, mas que teve grande importância para você. Como você conseguiu superá-la?
3. Que medidas você pode tomar para exercitar com mais frequência a empatia e a compaixão pela dor do outro?

15

Não tomar o nome de Deus em vão

Nome é o substantivo que identifica alguém. É sua identidade, personalidade, seu reconhecimento.

Vão é algo vazio, oco. O que é considerado inútil, fútil, baldado, frívolo, sem valor. Também pode ser algo ilusório, sem fundamento real, falso, ignorante e ineficaz.

Provérbio: "Cada um por si, Deus por todos". Será?

Os Dez Mandamentos são uma legislação antiga e têm sido, ao longo dos séculos, a base de muitas constituições ao redor do mundo. Esse conjunto de leis divinas entregue ao povo de Israel por intermédio de Moisés determinou as regras básicas de relacionamento da humanidade com o Criador, o Deus Todo-poderoso, em especial os três primeiros mandamentos, que abordaremos a seguir.

"Não tenha outros deuses além de mim" (Êx 20.3) é o primeiro mandamento, não só porque é de extrema importância para nossa vida, mas também porque fundamenta todos os outros. É por causa dessa fidelidade a Deus que os nove mandamentos seguintes ganham sentido e podem ser praticados.

O segundo mandamento, então, determina: "Não faça para si espécie alguma de ídolo ou imagem de qualquer coisa no céu, na terra ou no mar" (Êx 20.4). O coração humano tende à idolatria e pode perder-se facilmente ao colocar outras coisas no centro da vida, em lugar do único e verdadeiro Deus.

O terceiro mandamento, por sua vez, completa as prescrições relacionadas ao relacionamento do povo com Deus: "Não use o nome do SENHOR, seu Deus, de forma indevida" (Êx 20.7). Ou, como trazem as versões derivadas de João Ferreira de Almeida: "Não tomarás o nome do SENHOR teu Deus em vão".

Usar o nome de alguém implica responsabilidade. Quando um filho ou uma filha nasce, os pais registram o nome dele ou dela em cartório. Uns colocam nomes de pessoas que desejam homenagear, outros escolhem pela sonoridade, e há os que investigam o significado do nome e decidem de acordo com alguma virtude ou característica que desejam ver estampadas nos filhos.

Além do primeiro e do opcional segundo nome, todos precisam de um sobrenome, que é praticamente pré-determinado, já que traz consigo o registro familiar. Esse sobrenome sinaliza que a pessoa faz parte de uma família, com todas as responsabilidades que isso implica. Agora ela integra um mesmo histórico familiar, com vínculos biológicos e afetivos específicos. Existe, assim, a expectativa de que essa pessoa honre o nome de sua família.

E quando se trata do nome de Deus?

Há algumas formas pelas quais usamos o nome de Deus indevidamente. A primeira delas são as vãs repetições. Cresci entendendo que não era adequado expressar o nome "Deus" o tempo todo. É fato que toda palavra que usamos em demasia vai perdendo o valor, o brilho. Quanto mais repetida, mais trivial se torna. Assim, poupar o uso constante da palavra "Deus" é uma forma de evitar seu uso em vão. Há vários ditados populares que evocam o nome de Deus, e acabamos por repeti-los sem pensar. Isso é algo negativo.

Quando morei nos Estados Unidos, percebi quanto a menção da palavra "Deus" era importante para os cristãos norte-americanos. Eles se sentiam ofendidos quando viam alguém usando o nome divino ordinariamente. Alguns até usam termos com uma fonética próxima, a fim de evitarem falar "Deus".

Com o passar do tempo, porém, tenho entendido que usar o nome de Deus de forma indevida vai além de pronunciar a palavra ou qualquer um de seus nomes conhecidos. Assim, outra forma pela qual usamos o nome de Deus em vão é atribuindo-lhe algo que não vem dele. Isso é ainda mais sério.

Algumas vertentes evangélicas dão grande peso ao que chamam de "revelações". Nesses meios, é comum ouvir alguém reivindicar que "Deus me disse para fazer isso". Como contestar tal afirmação? Há também pessoas transmitindo profecias sob a alegação de que elas vêm da parte de Deus. Eu creio que o Senhor pode falar de forma sobrenatural e usar pessoas para profetizar, especialmente no sentido de exortação e proclamação da Palavra. Porém, já percebi muitas vezes que alguns argumentos apresentados como provenientes de Deus não se sustentavam biblicamente. De fato, já presenciei decisões errôneas sendo tomadas e até casamentos feitos e desfeitos com base nessas revelações mirabolantes. Isso é perigoso e triste.

Certa vez, um pastor contou à nossa comunidade que ouviu um sermão no qual o pregador usava a parábola do filho pródigo para exaltar a ousadia do filho em reivindicar o que era dele por direito. A explanação enfatizava que temos de determinar e exigir do Pai aquilo que nos pertence. Um tanto chocado com o desenvolvimento e o desfecho da pregação, o pastor abordou o pregador no final e perguntou se ele tinha conhecimento de toda a parábola, pois aquela atitude do filho havia sido reprovada por Jesus e o final era de arrependimento e reconciliação com o Pai perdoador. Supreendentemente, o pregador insistiu em seu argumento, dizendo que aquilo lhe havia sido revelado pelo próprio Deus. Então, o pastor encerrou a conversa: "Quando você achar que Deus lhe disse algo que não condiz com o contexto bíblico, guarde isso em segredo, porque talvez não seja uma instrução destinada a toda a congregação".

Nesse caso, o nome de Deus foi usado em vão, pois foi atribuído ao Senhor um ensinamento que certamente não viera dele. Precisamos ter reverência e temor ao usar o nome de Deus; não devemos ser precipitados em atribuir a ele revelações e instruções que talvez derivem simplesmente de um confuso coração humano.

Por fim, podemos usar o nome de Deus em vão a fim de justificar a violência. Quantas guerras motivadas por interesses políticos e econômicos já não foram travadas sob a bandeira da religião? Quantos países oficialmente cristãos já não oprimiram e ainda oprimem outros povos? Em nome de Deus, as populações nativas do continente americano e de outras partes do mundo foram assassinadas. Territórios já povoados, com donos legítimos, foram invadidos e dominados.

O mesmo se dá com atitudes fanáticas praticadas em nome de Deus. Refiro-me a atos terroristas, cruzadas, suicídios coletivos, autoflagelação e outros tantos tipos de violência, que não combinam com o nome de um Deus que é "misericordioso e compassivo, lento para irar-se e cheio de amor" (Jl 2.13).

O que Jesus nos ensina

Jesus nos ensina a usar o nome de Deus dignamente, em atitudes e palavras. "O Filho é a imagem do Deus invisível e é supremo sobre toda a criação", lembra-nos o apóstolo Paulo (Cl 1.15). De fato, Jesus tinha tanta segurança de sua semelhança com o Pai que afirmou: "Se vocês me conhecessem, também conheceriam meu Pai" (Jo 8.19); "O Pai e eu somos um" (Jo 10.30); "As palavras que eu digo não são minhas, mas de meu Pai, que permanece em mim e realiza suas obras por meu intermédio" (Jo 14.10).

Jesus honrou a Deus em tudo o que fez e disse. Sua conduta foi sempre impecável. Ele invocou o Pai em gratidão na multiplicação dos pães e peixes (Mc 6.41), e também na ressurreição de Lázaro (Jo 11.41-42). Todos os seus milagres e encontros de compaixão faziam que o nome de Deus fosse glorificado por seu intermédio.

Há alguns anos, ocorreu nos Estados Unidos um movimento que estimulava as pessoas a se perguntarem, antes de tomar qualquer atitude ou decisão, o que Jesus faria ("What would Jesus do?") no lugar delas. Chegaram a fazer pulseiras, camisetas e produtos com a abreviação da frase em inglês, WWJD. Esse movimento também chegou ao Brasil. A pergunta é relevante e merece atenção. Se eu não quero tomar o nome de Deus em vão, devo viver e agir de modo que lhe agrada, e é Jesus quem nos aponta o caminho.

Para não tomarmos o nome de Deus em vão, precisamos buscar a semelhança com Jesus. De fato, todo aquele que se apresenta como cristão tem de se parecer com Cristo. É o nome dele que está sendo exposto. Não basta evitar o uso da palavra "Deus". Isso tem certo valor para impedir a banalização, mas não é suficiente. É preciso também deixar de correr atrás de novas profecias, porque Deus já nos deixou sua vontade revelada em sua Palavra. Qualquer direcionamento que recebermos deve ser coerente com as Escrituras.

É fundamental também ter discernimento para fugir de manipulações e fanatismos, a fim de agir sempre em coerência com os princípios bíblicos de amor, alegria, paz, fé, esperança e liberdade.

Vamos ser como Jesus?

ORAÇÃO

Pai querido, ajuda-me a honrar teu santo nome, como teu Filho honrou. Que eu jamais o represente em vão. Que o meu falar, o meu pensar e o meu agir tragam sempre glórias a ti. Dá-me sabedoria e discernimento para viver dignamente, diante de ti e do mundo. Que eu não me conduza de forma indevida, mas que tu brilhes através de mim. Oro em nome de Cristo Jesus, com todo temor e louvor. Amém!

PARA REFLETIR

1. Em que aspectos você tem honrado ou desonrado sua família?
2. Você reconhece que já usou o nome de Deus em vão? Em quais circunstâncias?
3. Como seu comportamento pode honrar o nome de Deus?

16
Superar as frustrações

Frustração é o ato ou efeito de frustrar, privar alguém daquilo que é esperado, iludir, baldar, inutilizar e ficar sem resultado.

Provérbio: "Tanta lida para tão pouca vida". Será?

Por definição, a frustração é consequência de um esforço que foi feito, mas cujo resultado esperado não foi obtido. O sentimento é de que tanto trabalho e dedicação não valeram a pena! Predominam, então, a tristeza e o descontentamento. E se a frustração não for devidamente tratada, deixando-se acumular, ela se tornará uma fadiga profunda, que imobiliza a pessoa e faz que ela simplesmente desista de continuar tentando.

Várias coisas, aliás, podem nos frustrar ao ponto da fadiga: fazer dieta e não emagrecer, organizar eventos e ninguém aparecer, confiar segredos a alguém e descobrir que a pessoa espalhou a informação, emprestar dinheiro e nunca receber o pagamento de volta, cuidar de cada detalhe da vida familiar e no entanto não receber nenhum reconhecimento por isso, ter esperança em um líder político ou religioso e depois descobrir corrupção, mentiras, roubo e outros escândalos, e assim por diante.

Essa foi uma lista fácil de fazer, sem grandes pausas para reflexão. Surgiu rápido e a compilei em questão de minutos, porque são queixas comuns de alguém frustrado. A pessoa começa a questionar o motivo de cuidar da casa, de ajudar os outros, de tentar emagrecer, etc. Mas quem deve nos mover? Quem deve nos inspirar?

O que Jesus nos ensina

Jesus não se cansou nem desistiu. Motivos certamente havia. Certa ocasião, por exemplo, ele curou dez leprosos e somente um voltou para agradecer (Lc 17.11-19). Que bom que voltou pelo menos um, mas não é frustrante pensar que nove não se incomodaram em demonstrar gratidão?

Jesus também foi perseguido pelos líderes religiosos de sua época. Aqueles que deveriam estar do seu lado, do lado do bem, eram justamente os que procuravam envergonhá-lo e colocá-lo em situações difíceis. Que decepção! Jesus chegou a trazer um morto de volta à vida, e os mestres religiosos do alto escalão, em vez de reconhecerem nisso a natureza divina de Jesus, planejaram matá-lo (Jo 11.53).

No Getsêmani, Jesus solicitou o apoio de seus discípulos mais próximos, numa rara exibição de fragilidade e carência. Ele não costumava pedir ajuda, mas pediu: "Fiquem comigo, orem por mim". E seus companheiros falharam e dormiram numa ocasião tão importante (Mt 26.36-46). Ainda pior: no momento em ele foi preso, a Bíblia relata que "todos os discípulos o abandonaram e fugiram" (Mt 26.56).

Na cruz, Jesus estava de fato sozinho, desassistido em sua condição de penalizado. Quanta frustração! Ele bem poderia dizer: "Pai, que decepção. Cansei dessa gente. Eles não aprendem, não são gratos, não enxergam meu valor nem entendem meu trabalho". Em vez disso, suplicou ao Pai que os perdoasse, pois não sabiam o que estavam fazendo (Lc 23.34).

Você conseguiria fazer isso? Que amor é esse? Quem é esse homem? Quem é esse Deus traído, açoitado, humilhado, rejeitado e abandonado? Ele tinha todos os motivos para desistir e abandonar a humanidade, mas superou suas frustrações e não desistiu de sua missão.

Cristo levou sobre si as nossas dores. Precisamos reconhecer que não conseguiremos vencer as frustrações sem a ajuda dele. Precisamos viver além das decepções; olhar para quem nos ofende e pedir perdão por eles. Se quisermos ser como Jesus, precisamos orar para que Deus perdoe os nossos inimigos. Não são as circunstâncias que devem determinar como vivemos e respondemos, mas sim Jesus! Ele é a nossa esperança, pois o castigo que pesava sobre nós foi crucificado na cruz com ele, e agora podemos ter acesso à paz que vem de Deus e excede todo entendimento!

O apóstolo Paulo exortou os gálatas: "Portanto, não nos cansemos de fazer o bem. No momento certo, teremos uma colheita de bênçãos, se não desistirmos" (Gl 6.9). Não nos deixemos vencer pelo cansaço; não desistamos. Jesus lidou com as maiores frustrações imagináveis, e ainda assim as superou. Ele venceu. Vamos ser como Jesus?

ORAÇÃO

Pai, eu te louvo porque teu Filho, Jesus, nos ensinou a viver e disse que estaria conosco até o fim dos tempos. Muitas vezes sinto-me frustrada, achando que não vale a pena continuar investindo em pessoas e situações, mas hoje peço que Jesus brilhe através de mim e que eu possa decidir viver além das decepções. Renova em mim o desejo de fazer o que te agrada. Renova em mim o compromisso de amar a ti e ao próximo como a mim mesma. Que eu não me canse de fazer o bem, mas que Jesus seja sempre minha inspiração e força. Amém!

PARA REFLETIR

1. Enumere as coisas que têm causado fadiga e cansaço em sua vida. O que você pode fazer para interromper seu acúmulo?
2. Há pessoas que você precisa perdoar? Traumas, lembranças ou situações das quais precisa se libertar? Apresente-as a Deus.
3. Tente se lembrar de alguma situação em que você frustrou ou decepcionou alguém. O que poderia ter feito diferente? Ainda é possível mudar essa história?

17
Viver em comunhão

Comunhão: participação comum. Compartilhar aquilo que temos em comum com o propósito de edificar uns aos outros.

Provérbio: "Antes só do que mal acompanhado". Será?

Há muitas pessoas que reclamam de outras pessoas. Conviver dá mesmo trabalho. O outro decepciona, incomoda, se intromete, julga. Por vezes a conclusão parece ser a de que seria melhor ficar sozinho.

Cada dia mais deparamos com o caso de pessoas que se consideram cristãs, mas que já não querem ir à igreja ou fazer parte de uma. Aliás, há pesquisas e estudos prevendo que a igreja como a conhecemos hoje — templo, cadeiras, encontros semanais, rol de membros, eventos — caminha para o fim. E, de fato, atualmente é possível assistir a pregações pela internet, ouvir artistas *gospel* pelo celular e ofertar e dizimar eletronicamente. São incalculáveis as opções de estudos, comentários e dicionários bíblicos *on-line*. Há uma variedade de congressos e palestras que podem ser acessados gratuitamente, do conforto do lar. Com toda essa oferta de conteúdo, o cristão pode se organizar e desenvolver toda a sua vida eclesiástica sem pôr os pés na rua.

Só que há uma contradição: igreja vem do termo grego

ekklesia, que significa assembleia, reunião. Como se reunir com os outros irmãos de fé estando sozinho em casa?

Uma das justificativas para o afastamento da vida congregacional é que existe nela muita hipocrisia. Será que o discurso cristão de amar os inimigos, orar pelos perseguidores, dar a outra face, servir, ser manso e pacificador, é realmente vivido na prática?

Certa vez, uma jovem recém-convertida em nossa igreja local conseguiu levar a mãe a um culto de domingo. Naquela noite, o pastor pregou sobre o amor. A mãe saiu da igreja indignada, dizendo que nem o pastor acreditava no que estava falando. A jovem ficou triste com a conclusão da mãe. Quando ela compartilhou comigo o ocorrido, eu disse que a fala de sua mãe não era de todo absurda, pois talvez ela própria nunca houvesse testemunhado um amor semelhante ao de Jesus. A crítica às vezes tem fundamento. Toda vez que a igreja for alvo de alguma acusação em relação ao seu discurso, ela precisa fazer uma autoavaliação para conferir se o seu discurso está alinhado à prática. E deve estar.

Em contrapartida, muitas vezes a questão realmente é com o crítico. Rubem Alves dizia que nós não vemos o que vemos, nós vemos o que somos: "Só veem belezas do mundo aqueles que têm belezas dentro de si". Então, quando a pessoa só vê negatividade e feiura no objeto observado, pode ser que o problema esteja em seu olhar, e não naquilo que ela critica.

Outra justificativa para o afastamento da vida congregacional é que ali as pessoas se metem demais na vida das outras. Será que queremos mesmo ser tão vistos e evidenciados assim? Como pastora, meu desejo é apascentar as pessoas que chegam à igreja. Mas quero sempre identificar o equilíbrio na expectativa de cada um. Sempre digo que estou disponível para conversar, ouvir, aconselhar, mas não quero me intrometer onde não tenho permissão. Meu propósito é não abandonar ninguém, mas também não sufocar. Nos cultos da igreja, temos o hábito de pedir aos visitantes que fiquem em pé, para ser reconhecidos pelos demais. Uns ficam com vergonha e preferem não ser destacados. Outros reclamam quando não são notados. Como saber o limite ou a expectativa de cada um?

Certa vez, uma mulher que havia meses frequentava a reunião de mulheres e sempre pedia oração pelo marido, conseguiu levá-lo a um culto de domingo. As outras mulheres que sabiam da luta daquela família ficaram empolgadíssimas e pediram a seus maridos que fossem conversar com aquele homem a fim de que ele se sentisse querido e bem-vindo. Todos concordaram com a sugestão. No final do culto, uns cinco homens abordaram o visitante perguntando de sua vida e tentando demonstrar cordialidade. O resultado não foi positivo. Aquele homem foi embora apavorado. Ele era um investigador da polícia e se sentiu invadido com todas aquelas perguntas. Não gostou da abordagem e achou estranho tanta gente interessada em sua vida.

Finalmente, há a justificativa do excesso de demandas de serviço e envolvimento. Aqui também, os exageros e extremos são perigosos. Algumas pessoas se envolvem de corpo e alma com a igreja, participando de muitos ministérios e programações e tornando-se verdadeiras ativistas. Por um tempo, isso talvez lhes dê uma sensação boa de valor e utilidade. Posteriormente, no entanto, isso pode gerar desgaste e prejudicar relacionamentos familiares e profissionais. A pessoa pode chegar a um nível de esgotamento que a impele a largar tudo e repudiar a igreja como um todo. Quando há o sentimento de que os esforços não foram devidamente valorizados ou reconhecidos, a frustração pode ser ainda maior.

O que Jesus nos ensina

Jesus nos estimula a congregar, conviver e, mais que frequentar uma igreja, ele espera que *sejamos* igreja. Foi ele quem a estabeleceu, garantindo que as portas do inferno não prevaleceriam contra ela (Mt 16.18).

Quando estamos em comunhão, somos desafiados a ser como Jesus. A vida congregacional possibilita um incentivo ao amor e às boas obras. Por isso o autor da carta aos cristãos hebreus os exortou: "Pensemos em como motivar uns aos outros na prática do amor e das obras. E não deixemos de nos reunir, como fazem alguns, mas encorajemo-nos mutuamente, sobretudo agora que o dia está próximo" (Hb 10.24-25). Como podemos ver, trata-se de um problema antigo, já do primeiro século da era cristã!

A vida em comunhão também nos abre para a oportunidade de compartilhar emoções. Paulo disse aos gálatas que eles deveriam levar os fardos pesados uns dos outros e, assim, cumprir a lei de Cristo (Gl 6.2). E, com efeito, conforme nos lembra o autor de Eclesiastes, é melhor ter companhia que estar sozinho, porque o trabalho em equipe dá mais resultado. Quando um cai o outro ajuda a levantar, enquanto o solitário não recebe ajuda de ninguém. Poder contar com os outros fortalece e revigora (Ec 4.9-12).

Além disso, a vida em igreja nos ajuda a trabalhar conflitos. Tiago fala da importância de confessar os pecados uns aos outros e orar uns pelos outros para sermos curados (Tg 5.16). Pedro, por sua vez, exorta os cristãos a se amarem sinceramente, "pois o amor cobre muitos pecados" (1Pe 4.8).

Mesmo que possamos apontar as falhas e limitações da igreja como instituição humana que agrega seres humanos, não podemos desistir de ser igreja. Antes de apontar os defeitos dos outros, precisamos investigar o que há de poluído em nosso olhar. Permitir que outros participem da nossa vida e até que nos exortem em certos momentos é essencial para o nosso crescimento. A igreja pode ser um lugar de consolação, de celebração, de santificação, de verdadeiro amor. Foi isso o que Cristo desejou.

Vamos desfrutar do que Jesus estabeleceu? Vamos ser como Jesus?

ORAÇÃO

Jesus, reconheço que muitas vezes sou crítica em relação à igreja. Todavia, como é fácil apontar defeitos e encontrar justificativas para fugir de um envolvimento real com outros cristãos! Ajuda-me a superar tudo isso e coloca em mim um desejo sincero de congregar. Mostra-me como cada irmão e cada irmã pode ser um instrumento teu para minha santificação, e mostra-me como posso ser usada por ti para ser bênção na vida de outros. Amém!

PARA REFLETIR

1. Você se vê fugindo do convívio com outros cristãos e desenvolvendo uma vida mais isolada? Por quê?
2. Aponte uma qualidade da igreja que você considera essencial e dê um exemplo de como já viu essa qualidade abençoar alguém.
3. Como você pode contribuir para que sua igreja local seja como Jesus planejou?

18
Obedecer a Deus

Obedecer é agir de acordo com o que foi estabelecido; cumprir, executar, observar e respeitar.

Provérbio: "Manda quem pode, obedece quem tem juízo". Será?

Obedecer é submeter-se a alguém que possui, naquele relacionamento, uma posição superior, de autoridade. A obediência requer confiança nessa autoridade, e a confiança gera vulnerabilidade, pois é uma forma de entregar-se ao outro. Para funcionar adequadamente, não pode ser algo automático, imposto. Antes, deve ser algo fortalecido com o tempo.

Em nosso relacionamento com Deus, a obediência não pode ser parcial. O rei Saul é um exemplo de alguém que não obedeceu completamente. Quando atacou os amalequitas e os venceu, destruiu apenas o que não tinha valor e se apossou do restante, contrariando a vontade expressa de Deus de que tudo fosse completamente destruído (1Sm 15.1-9). Ele começou bem, mas era necessário terminar bem. Apresentou justificativas para seu desvio. Elas sempre existem. Seres racionais sempre têm motivos para fazer o que fazem, mas isso não significa que suas razões são aceitáveis ou corretas.

A Palavra nos mostra que obedecer é melhor que sacrificar (1Sm 15.22). Os tolos, porém, desprezam a sabedoria e a disciplina (Pv 1.7). Não podemos aceitar a condição de insensatez. Pais esperam obediência dos filhos, mas nem sempre o que queremos dos filhos nós damos a nosso Pai do céu.

A correção dos pais é uma bênção. Em Provérbios, o principal livro de sabedoria da Bíblia, observamos diferentes apelos aos filhos para que obedeçam aos pais. Obedecer demonstra prudência, pois o coração humano é inclinado a fazer o mal, e a disciplina dos pais pode livrar os filhos da morte (Pv 1.8; 4.1; 13.24; 15.5; 19.18). Deus também corrige, porque é Pai e porque ama (Hb 12.6-11).

Por que, então, desobedecemos com tanta frequência?

Em primeiro lugar, porque não entendemos que as regras são mecanismos de proteção e cuidado. É essencial entender que Deus é amor e que todas as regras estabelecidas por ele são expressão de seu imenso zelo por nossa vida. Enquanto acreditarmos que, com suas regras, Deus quer nos sufocar e dificultar nossa vida, não conseguiremos obedecer com alegria nem inteiramente.

Segundo, porque achamos que conseguimos cuidar de nós mesmos. É forte o desejo do ser humano por controle. Percorrendo a narrativa bíblica, observamos que a busca por controle resultou em consequências graves para Adão e Eva, para os construtores da Torre de Babel, para Ló e sua família, e para tantos outros. Quem confia no próprio entendimento é tolo, e isso logo se converte em rebeldia e orgulho. A pessoa então já não quer cumprir ordens, não quer pedir ajuda, despreza conselhos, e busca simplesmente fazer tudo do próprio jeito.

Terceiro, porque lutamos com o domínio próprio. "Quem não tem domínio próprio é como uma cidade sem muros", escreveu o sábio bíblico (Pv 25.28). Muitas pessoas sabem o que devem fazer e até desejam fazê-lo, mas sofrem para controlar a si mesmas. Há uma luta entre carne e espírito, e se o indivíduo estiver entregue à própria força, sem o encorajamento que vem do alto, simplesmente não conseguirá vencer.

O que Jesus nos ensina

Antes de qualquer coisa, devemos constatar que Jesus foi totalmente obediente a Deus. Ele aceitou e cumpriu sua missão. Viveu conforme o Pai esperava que ele vivesse. Serviu, amou, ensinou, curou e libertou as pessoas. A maior prova de sua obediência se deu no Getsêmani. A dor era imensa! Jesus estava prestes a enfrentar toda a ira divina contra o mal. Na cruz, ele tomaria sobre si o pecado de toda a humanidade e experimentaria a separação do Pai. Chegou a pedir: "Meu Pai! Se for possível, afasta de mim este cálice". No entanto, dispôs-se a obedecer, mesmo em meio ao sofrimento: "Contudo, que seja feita a tua vontade, e não a minha" (Mt 26.39). E assim foi.

Jesus também nos lembra que a obediência será recompensada. "Quem ouve minhas palavras e as pratica é tão sábio como a pessoa que constrói sua casa sobre uma rocha firme", disse ele (Mt 7.24). Mesmo após ser golpeada por chuvas e inundações, a casa permanecerá em pé, pois foi edificada sobre um alicerce sólido.

Nicolau Maquiavel, um pensador italiano nascido no século 15, dizia que, no impasse entre buscar ser amado ou temido, o líder deve preferir ser temido, pois mesmo quando amam as pessoas abandonam e traem. Por medo, porém, elas obedecem, e isso seria o mais importante para um governante. Por mais que esse conselho me incomode, admito que é o caminho que parece funcionar melhor com as pessoas.

Entretanto, Jesus não quis estabelecer um relacionamento de medo, mas sim de amor.

No Evangelho de João, Jesus diz que, se nós o amamos, obedecemos a seus mandamentos (14.15). Ele repete isso: "Aqueles que aceitam meus mandamentos e lhes obedecem são os que me amam. E, porque me amam, serão amados por meu Pai. E eu também os amarei e me revelarei a cada um deles" (14.21). Quem não obedece, por sua vez, demonstra que não o ama (14.24).

É preciso humildade para obedecer e ouvir a correção. Toda desobediência, por menor que pareça, tem consequências nocivas. Judas e Pedro desobedeceram. Judas não buscou reparação e se perdeu. Pedro se restabeleceu. Os filósofos gregos diziam que a sabedoria estava em reconhecer a própria ignorância. A atitude de obediência pode ser o resultado de um coração consciente de suas limitações, que procura por isso seguir alguém que sabe do que precisamos para viver.

Deus é um Pai amoroso que quer nos proteger. Suas regras são expressão de cuidado. Deus quer que prestemos conta de nossas ações. Ele quer obediência. Aceitar a correção é bênção. "Quem obedece à lei é feliz" (Pv 29.18). Jesus foi obediente e nos exortou a sê-lo também. Por amor, como ele nos amou. Vamos ser como Jesus?

ORAÇÃO

Querido Deus, reconheço que muitas vezes não entendo o teu amor e acredito que posso cuidar de mim mesma. Quero entender o teu amor e quero amar-te de volta, não só com palavras, mas com toda a minha vida. Quero ser obediente como Jesus foi, reconhecendo quanto dependo de ti e quanto tu sabes o que é melhor para mim. Amém!

PARA REFLETIR

1. Você já se sentiu sufocado por alguma ordenança de Deus? Explique.
2. Em que situações você tem tentado resolver as coisas à sua maneira?
3. O que falta para você entender que os mandamentos de Deus são expressão do amor dele para o seu bem?

19
Ter gratidão

Sentimento de lembrança e agradecimento a alguém por um benefício recebido. Reconhecimento de que houve uma graça, um auxílio ou uma proteção por parte de alguém, que gera alegria, contentamento e celebração.

Provérbio: "Cavalo dado não se olha os dentes". Será?

Qual é a nossa atitude quando recebemos um benefício? Será que enxergamos quanto somos agraciados ou quanto somos abençoados?

Lembro-me da primeira vez que minha mãe foi ao Timor Leste, em uma viagem missionária, e voltou profundamente tocada por ter testemunhado a alegria daquele povo em ir à igreja. As pessoas ali por vezes levavam duas horas de caminhada até o local do culto, e faziam isso com alegria porque haviam compreendido o valor do que Jesus fizera em favor delas. Mesmo em meio a toda a escassez material em que viviam, isso era suficiente.

Em sua carta aos filipenses, o apóstolo Paulo diz duas vezes que aprendeu a adaptar-se, a viver contente em toda situação, nos momentos bons e difíceis (Fp 4.12). Não é algo natural. Exige esforço e prática. O que fazer? Precisamos começar contando as bênçãos!

Quando enfrento dias difíceis e me sinto desanimada, costumo dizer que o dia está nublado. Não há brilho nem muita luz. Entretanto, sou lembrada de que o sol não deixou de existir. Ainda está lá, com todo o seu esplendor, calor e força. As nuvens só precisam se abrir para que eu possa vê-lo novamente, e isso acontece quando começo a expressar gratidão. Então, meus olhos conseguem enxergar quanto o Senhor já fez e continua a fazer todos os dias.

Ainda em Filipenses, Paulo fala sobre preencher o pensamento com "tudo o que é verdadeiro, tudo que é nobre, tudo que é correto, tudo que é puro, tudo que é amável e tudo que é admirável" (Fp 4.8). Ele nos ensina que os nossos pensamentos precisam estar cheios do que é excelente e digno de louvor. Algo sempre preenche os lugares vazios quando expressamos gratidão, quando criamos em nós um lugar para Deus crescer e preencher com seu Espírito.

Na sequência, Paulo diz que precisamos continuar praticando tudo o que aprendemos e recebemos dele, tudo o que ouvimos e o vimos fazer. O pensamento de gratidão vira prática. "Então o Deus da paz estará com vocês", conclui (Fp 4.9).

Em certos momentos, porém, não somos gratos. Quando, por exemplo, acreditamos que temos muitos direitos, que merecemos benefícios e que as pessoas têm a obrigação de nos atender e servir, então não conseguimos reconhecer o favor do outro. Há sempre uma exigência de atenção, serviço e benefício, e o sentimento é que o outro só fez o que devia. Sendo assim, não há pelo que agradecer. Isso reflete uma perspectiva egoísta, que não enxerga o privilégio que é receber o favor dos outros.

Também deixamos de ser gratos quando não recebemos exatamente o que queremos. Ah, quantos desejos e quantas vontades nós temos! Criamos expectativas e sonhos, o que, por si só, não é algo mal. É bom ter metas e desejar mais que o trivial e medíocre. O problema é não aceitar quando as coisas não saem do jeito que planejávamos e queríamos.

Às vezes é difícil vencer a dor e lidar com as frustrações. Os olhos precisam ser moldados. Quando os olhos são maus, eles se enchem de uma escuridão tão densa que a alma agoniza. Quando não usamos as lentes bíblicas para encarar a vida, nós nos sentimos um fracasso, pessoas sem valor, passadas para trás. Mas quem merece de fato qualquer graça? Deus não nos deve nada, e isso precisa ficar claro em nosso coração. O dramaturgo inglês William Shakespeare escreveu: "Aprendi que deveríamos ser gratos a Deus por não nos dar tudo que lhe pedimos". Esse é um sentimento de confiança de que Deus sabe o que faz, ainda que nós não o saibamos nem aprovemos, em nossa ignorância e finitude.

Também deixamos de ser gratos quando queremos sempre mais. Quanto é o suficiente para nós? O livro de Provérbios fala das duas bocas da sanguessuga que vivem dizendo: "Mais, mais!", e nunca se saciam (Pv 30.15). Será que somos assim?

Faz algum tempo, li uma entrevista em que um repórter perguntava a um milionário quando ele ficaria satisfeito com sua riqueza. A resposta foi: "Quando eu juntar mais um milhão". Na realidade, a satisfação não existe, pois sempre se precisa de algo mais. É difícil dizer basta. Há tantas pessoas ricas que vivem como se fossem pobres, devido ao medo de perder seus bens. Agem de modo tão avarento que não conseguem ter alegria para desfrutar de tudo o que já possuem. Por outro lado, há pobres mais ricos, pois o sentimento de abundância não depende tanto do que se tem, mas de quanto alguém acha que precisa ter. Por isso, também gosto da frase que diz: "Rico não é quem tem mais, mas quem precisa de menos".

O que Jesus nos ensina

Jesus nos mostra que a gratidão cura, liberta, transforma, salva e realiza milagres. Quando lemos sobre a cura dos dez leprosos, percebemos que há uma ênfase no fato de que somente um deles voltou para agradecer. Entretanto, esse foi o que recebeu o bem maior. A fé que deu graças foi considerada por Jesus como a fé que salva, e ele recebeu a vida eterna (Lc 17.11-19).

Na multiplicação dos pães, Jesus aceita a insuficiência, reconhece que há um Deus que se importa com a fome do povo, dá graças e, então, há mais que suficiente (Mt 14.14-21). A ação de graças é o modo como nos colocamos na presença de Deus. É a prática do olhar. Não precisamos mudar o que vemos, apenas nosso modo de ver. Jesus nos mostra que o segredo é confiar no amor e no poder do Pai. Em João 14.1, ele diz: "Não deixem que seu coração fique aflito. Creiam em Deus; creiam também em mim". O salmista já havia declarado que "é feliz o que confia no SENHOR" (Sl 40.4). Só ficamos repletos de gratidão e alegria quando aprendemos a confiar no Pai. Ter gratidão nos mostra que temos mais que suficiente!

Em seu livro *Vida simples, vida plena,* a escritora Ann Voskamp nos ensina que "a vida é tão urgente que preciso vivê-la devagar". Ela sugere que a vida deve ser saboreada como uma sobremesa, e que simplicidade é questão de foco. Ainda falamos da graça de Deus quando as coisas vão mal? E se aquilo que parece mal não passar de uma sensação? Em sua tentação no deserto, Jesus declara ao inimigo que "uma pessoa não vive só de pão, mas de toda palavra que vem da boca de Deus" (Mt 4.4). A vida plena é preenchida pela Palavra de

Deus. É a Palavra que transforma, que preenche o vazio e que nos faz ver tudo o que é bom. Assim, podemos ter gratidão.

A verdade é que, muitas vezes, é mais fácil não reconhecer o bem que já temos e, em vez disso, sentir medo do futuro. Mas esses são sinais de uma alma preguiçosa. O oposto da fé não é tão somente a descrença, mas também o medo, a dúvida sobre a bondade de Deus. Nesse sentido, a gratidão torna-se essencial. É ela que constrói a confiança. Jesus instituiu a Ceia do Senhor como um memorial de gratidão, para que nos lembremos de tudo o que ele fez por nós, da aliança que estabeleceu conosco, do poder de sua entrega e redenção. Assim, seremos gratos.

Epicuro, o filósofo grego, disse que "as pessoas felizes lembram o passado com gratidão, alegram-se com o presente e encaram o futuro sem medo". Nós, cristãos, lembramos com o apóstolo João que "o perfeito amor afasta todo medo", e por isso podemos confiar (1Jo 4.18). Deus é fiel em suas promessas, é digno de toda confiança.

A alegria muitas vezes começa com um ato de gratidão. Precisamos contar nossas bênçãos e desejar ser bênção. O coração grato não pede mais, ele deseja dar. Quer ser canal de vida e alegria para outros.

Jesus viveu uma vida simples, nunca exigiu bajulação nem conforto. Soube agradecer ao Pai em cada circunstância. Valorizou os corações gratos. Viveu alegre e satisfeito. Fez por nós o que ninguém poderia fazer. Deu-nos o suficiente. O que mais poderíamos querer? De que outra forma deveríamos viver? Vamos ser como Jesus?

ORAÇÃO

Pai querido, reconheço que por vezes sou ingrata. Acredito merecer e ter direito a tantas coisas. Começo a fazer minhas listas de petições e espero ser atendida. Neste momento, porém, admito que tu já fizeste tudo de que preciso. Quero ser grata pela salvação em Jesus e pela esperança de vida eterna. Dá-me a confiança de que és suficiente e cuidas de mim. Faz de mim um canal de bênção, amor, alegria e paz. Oro em nome de Jesus, e plenamente grata por tua graça. Amém!

PARA REFLETIR

1. Você já se frustrou com a ingratidão de alguém? Qual foi sua reação?
2. Em que áreas de sua vida você não tem conseguido descobrir que já tem o suficiente e quer sempre mais? Por que, a seu ver, isso acontece?
3. Como você pode demonstrar sua gratidão a Deus? Uma sugestão: anote diariamente num caderno um motivo específico para agradecer.

20

Ser cidadão do reino

Cidadão é um indivíduo que tem direitos civis e políticos em um estado livre e desempenha os deveres que lhe são atribuídos. É um habitante de cidade. Alguém com nacionalidade, identidade e sentimento de pertencimento.

Reino é oficialmente um estado que tem por chefe um rei; uma monarquia que supõe a existência de um conjunto de súditos. É um lugar ou esfera em que alguém ou algo domina. Há regras, leis, ordem, segurança e privilégios.

Provérbio: "Em terra de cego, quem tem olho é rei". Será?

As relações de poder não se restringem à política e ao mundo profissional. Todo relacionamento humano envolve alguma noção de hierarquia: o que se espera de cada um, quem define os limites, quem assume as decisões, tudo precisa ser estipulado para que não haja confusão nem subversão, seja no âmbito íntimo e familiar, seja no âmbito corporativo e internacional. Quando falamos de reino, por exemplo, a ideia é que existe um soberano que detém o poder de definir as regras e cuidar de seu território.

A Declaração Universal dos Direitos Humanos afirma no artigo 15º que "toda pessoa tem direito a uma nacionalidade".

Isso significa que cada indivíduo tem o direito de ser cidadão de uma pátria, de uma nação. Entretanto, quando observamos as nações deste mundo, notamos que há realidades as mais diversas: países em guerra, governos ditatoriais, democracias com grandes desigualdades sociais, corrupção, leis injustas e tendenciosas, entre tantos outros desafios à possibilidade de viver em paz em uma nação. Às vezes é desanimador ser cidadão de um determinado país.

Jesus, no entanto, nos convida para sermos parte de seu povo, de uma pátria celestial na qual o Rei é totalmente justo. Isso é uma notícia fantástica: podemos ser súditos de Jesus, o Rei dos reis!

Mas como é que conseguimos viver como cidadãos celestiais enquanto ainda estamos na esfera terrena, debaixo das hierarquias humanas?

A primeira dificuldade em compreender a cidadania correta, celestial, é que temos de lidar com nossa cidadania em um mundo material. Vivemos em um mundo no qual interagimos com as coisas a partir da visão, da audição, do paladar, do olfato, do tato. A realidade espiritual, transcendente, não é a realidade imediata à qual temos acesso fisicamente. Assim, nossa atenção acaba relegada àquilo que ocupa nossos sentidos. Então, quando a rotina e os afazeres nos dominam, a ideia de um reino celestial nos parece extremamente distante e irreal. Ainda que haja convicção de sua existência, trabalhar por esse reino e viver de acordo com suas regras pode parecer uma necessidade secundária, que pode ficar para depois, "quando houver tempo".

A segunda dificuldade é o desejo constante de usufruir os privilégios deste mundo. O anseio por poder e destaque é inerente à humanidade. Posições de privilégio, honra e visibilidade são almejadas com ardor. Construir um patrimônio, ter um nome reconhecido e obter fama podem ser objetivos sedutores. Quando a glória deste mundo se torna um alvo, o reino humano ocupa o espaço central do nosso coração, e nossa verdadeira cidadania no céu passa a ser tratada com descaso.

A terceira dificuldade é a falta de esperança no próprio conceito de cidadania, seja terrena, seja celestial. Há países que respeitam fielmente sua Constituição e o poder político é visto como um órgão que zela pelo bem da nação. O Brasil enfrenta outra realidade. O povo, em geral, não se sente protegido nem servido pelo Estado. Há uma desconfiança de que a lei não é aplicada imparcialmente, e por isso ela não é apreciada nem respeitada. O brasileiro se sente órfão e não acredita que o governo, qualquer que seja ele, realmente se preocupa com seu bem-estar. Assim, não há o desejo de fazer parte de nenhum reino, pois ser governado significa ser explorado, oprimido ou, no mínimo, ignorado.

O que Jesus nos ensina

Jesus inaugurou um novo reino e nos convidou a fazer parte dele. Seu reino, porém, não é como os reinos deste mundo. Afinal, como o próprio Jesus explicou a Pilatos, uma das autoridades dos reinos do mundo de seu tempo, o reino dele "não procede deste mundo" (Jo 18.36). Em outras palavras, procede do céu, da autoridade que lhe foi concedida pelo Criador de todas as coisas, seu Pai.

Naquela época, os judeus aguardavam a vinda de um rei, um messias. A expectativa deles era sobretudo política: queriam alguém que os libertasse da opressão do império romano e lhes concedesse primazia sobre todas as nações da terra. O reino que Jesus apresentou, contudo, contrariava todas essas expectativas. Observemos alguns desses contrastes.

No reino estabelecido por Jesus, felizes são os pobres (Mt 5.3), não para viver em voto de pobreza, mas para desfrutar de uma vida de fartura espiritual que só ele pode conceder. De fato, a sensação de abundância não depende de quanto se tem, mas do contentamento e satisfação que provêm unicamente de Deus. Esses "pobres" herdam o reino dos céus.

Nesse outro reino, não se busca uma vida de prosperidade material como alvo maior, pois o coração não está nos bens e nos recursos humanos (Lc 12.33-34). Deus permite que sejamos mordomos, administradores deste mundo, mas não seus donos. Não possuímos as coisas; desfrutamos delas, sem que elas nos seduzam ou nos dominem.

Nesse outro reino, o foco não é a autopreservação nem a defesa pessoal. Não matamos os inimigos; em vez disso, nós os amamos e oramos por eles (Mt 5.44). Exercitamos uma vida de compaixão e até socorremos os que nos perseguem, caso eles precisem de ajuda. De fato, nesse reino o cidadão não precisa se defender, pois Jesus é seu advogado sempre justo.

Nesse outro reino, não há competição nem rivalidade. Somos todos parte do mesmo corpo, interligados, interdependentes, ainda que preservando nossa diferença uns dos outros. Não somos simétricos. Somos únicos e não precisamos ser iguais. O reino deste mundo quer pessoas sem identidade, massificadas, repetindo os mesmos pensamentos e padrões. Deus vê beleza na diversidade e também se manifesta nas diferenças.

Nesse outro reino, a paz e o alívio não vêm de analgésicos. É um mundo que compreende a existência da dor e que encara as aflições, mas que obtém vitória por intermédio de seu Rei (Jo 16.33).

No reino deste mundo vivemos olhando para o lado, com o desejo de acusação: "Viu o que ele fez?", "Ouviu que ela disse?". Os programas que bisbilhotam a vida dos outros são campeões de audiência. Nesse outro reino, todavia, olhamos para cima e vemos somente a perfeição. Depois, olhamos para dentro de nós e vemos corrupção. Mas, em seguida, olhamos para a cruz e recebemos salvação. Então, tudo muda! Nesse momento, somos capacitados a olhar para o lado e sentir compaixão. Não há dedos de acusação, não há apedrejamento, há perdão! É um reino de outro mundo, bem "anormal". Um reino de amor, esperança, alegria, paz e mansidão. Um reino de reconciliação!

Na célebre Oração do Pai Nosso, Jesus nos ensinou a pedir a Deus: "Venha o teu reino. Seja feita a tua vontade, assim na terra como no céu" (Mt 6.10). Precisamos estar de coração aberto para vivermos a soberania de Jesus entre nós. Vamos ser como Jesus? Que sejamos cidadãos do seu reino, e que ele seja nosso Senhor e Salvador para todo o sempre!

ORAÇÃO

Pai, abra meus olhos para que eu veja onde se encontra meu maior compromisso de cidadania. Que eu possa conhecer a tua vontade e viver sob as tuas regras. Que o teu reino venha, que a tua vontade seja feita nos céus e na terra, no meu país e na minha vida. Que eu ame a tua Palavra, identifique a tua voz, deseje te obedecer sempre e, assim, possa desempenhar meus deveres e desfrutar dos direitos de ser um cidadão do teu reino. Amém!

PARA REFLETIR

1. Que características do reino de Jesus mais cativam você? Por quê?
2. Como você pode ajustar sua conduta e coração a fim de manifestar mais plenamente sua cidadania celestial?
3. Como você pode colaborar para o crescimento desse reino?

Compartilhe suas impressões de leitura,
mencionando o título da obra, pelo e-mail
opiniao-do-leitor@mundocristao.com.br
ou por nossas redes sociais

Esta obra foi composta com tipografia Palatino e Europa
e impressa em papel Pólen Soft 70 g/m² na gráfica Assahi